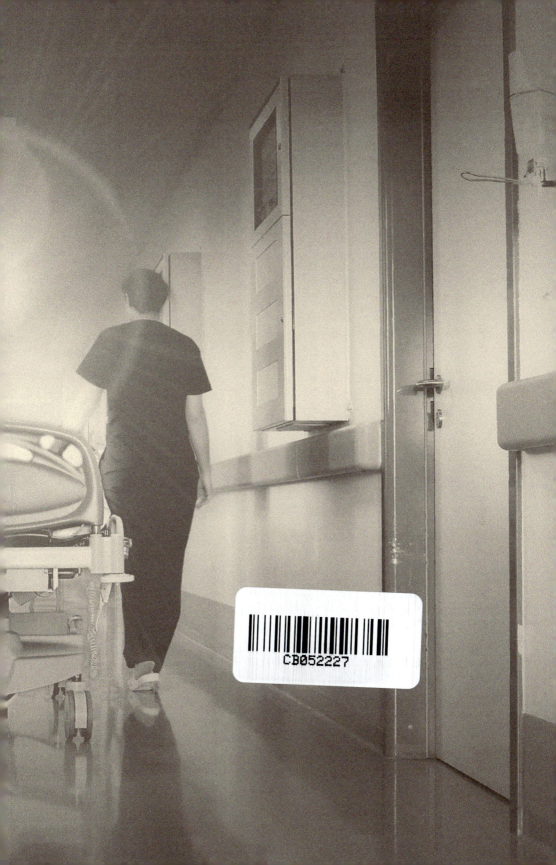

Desejo a você que comprou este livro, paz, saúde, amor e muita felicidade, são meus sinceros votos. Espero que este livro lhe auxilie a compreender melhor a sua vida, nesta vida!

Osmar Barbosa

A
depois da
Morte

OSMAR BARBOSA

pelos Espíritos NINA BRESTONINI *e* LUCAS

O autor cedeu os direitos autorais deste livro à
Fraternidade Espírita Amor e Caridade.
www.fraternidadeespirita.org
www.hospitalamorecaridade.org

Book Espírita Editora
1ª Edição
| Rio de Janeiro | 2021 |

Osmar Barbosa

pelos Espíritos Nina Brestonini *e* Lucas

BOOK ESPÍRITA EDITORA

Capa
Marco Mancen

Projeto Gráfico e Diagramação
Marco Mancen Design

Imagens
Depositphotos

Revisão
Camila Coutinho

Marketing e Comercial
Michelle Santos

Pedidos de Livros e Contato Editorial
comercial@bookespirita.com.br

Copyright © 2020 by
BOOK ESPÍRITA EDITORA
Região Oceânica, Niterói,
Rio de Janeiro.

1ª edição
Prefixo Editorial: 991053
Impresso no Brasil

Dados Internacionais de Catalogação na Publicação (CIP)
(Câmara Brasileira do Livro, SP, Brasil)

Brestonini, Nina (Espírito)
    A vida depois da morte / pelo espírito Nina
Brestonini ; [psicografado por] Osmar Barbosa. --
1. ed. -- Niterói, RJ : Book Espírita Editora, 2021.

    ISBN 978-65-89628-10-1

    1. Espiritismo 2. Morte (Espiritismo)
3. Reencarnação 4. Vida futura I. Barbosa, Osmar.
II. Título.

21-62980   CDD-133.9013

Índices para catálogo sistemático:

1. Vida após a morte : Espiritismo   133.9013

Cibele Maria Dias - Bibliotecária - CRB-8/9427

Todos os direitos reservados e protegidos pela Lei 9.610, de 19/02/1998.
Nenhuma parte deste livro pode ser reproduzida ou transmitida por quaisquer
formas ou meios eletrônicos ou mecânicos, incluindo fotocópia, gravação,
digitação, entre outros, sem permissão expressa, por escrito, dos editores.

Outros livros psicografados por Osmar Barbosa

Cinco Dias no Umbral

Gitano - As Vidas do Cigano Rodrigo

O Guardião da Luz

Orai & Vigiai

Colônia Espiritual Amor e Caridade

Ondas da Vida

Antes que a Morte nos Separe

Além do Ser - A História de um Suicida

A Batalha dos Iluminados

Joana D'Arc - O Amor Venceu

Eu Sou Exu

500 Almas

Cinco Dias no Umbral - O Resgate

Entre nossas Vidas

O Amanhã nos Pertence

O Lado Azul da Vida

Mãe,Voltei!

Depois...

O Lado Oculto da Vida

Entrevista com Espíritos - Os Bastidores do Centro Espírita

Colônia Espiritual Amor e Caridade - Dias de Luz

O Médico de Deus

Amigo Fiel

Impuros - A Legião de Exus

Vinde à Mim

Autismo - A escolha de Nicolas

Umbanda para Iniciantes

Parafraseando Chico Xavier

Cinco Dias no Umbral - O Perdão

Acordei no Umbral

A Rosa do Cairo

Deixe-me Nascer

Obssessor

Regeneração – Uma Nova Era

Deametria – Hospital Amor e Caridade

Conheça um pouco mais de Osmar Barbosa:
www.osmarbarbosa.com.br

Agradecimento

Agradeço, primeiramente, a Deus por ter me concedido esse verdadeiro privilégio de servir humildemente como um mero instrumento dos planos superiores.

Agradeço a Jesus Cristo, espírito modelo, por guiar, conduzir e inspirar meus passos nessa desafiadora jornada terrena.

Agradeço a Nina Brestonini, ao Lucas, e aos demais espíritos ao lado dos quais tive a honra e o privilégio de passar alguns dias psicografando este livro. Agradeço, ainda, pela oportunidade, e por permitirem que essas humildes palavras, registradas nesta obra, ajudem as pessoas a refletirem sobre suas atitudes, evoluindo.

Agradeço, também, a minha família pela cumplicidade, compreensão e dedicação. Sem vocês ao meu lado, me dando todo tipo de suporte, nada disso seria possível.

E agradeço a você, leitor amigo, que comprou este livro, e com a sua colaboração nos ajudará a levar a Doutrina Espírita e todos os seus benefícios e ensinamentos para mais e mais pessoas.

Obrigado!

A todos, os meus mais sinceros agradecimentos.

Osmar Barbosa

"

A missão do médium é o livro.
O livro é chuva que fertiliza lavouras imensas,
alcançando milhões de almas.

"

Emmanuel

Sumário

17 | PREFÁCIO

29 | COVID-19

47 | A VIDA APÓS A VIDA PARA AS RELIGIÕES

59 | O REENCONTRO

73 | OS FLUIDOS

95 | A MORTE

113 | NOS JARDINS

123 | CARLOS ALBERTO

145 | MARTA

159 | UMA NOVA VIDA

179 | A VOLTA DE MARTA

193 | REENCARNAÇÃO

207 | JOÃO PEDRO

"

Não se turbe o vosso coração; credes em Deus, crede também em mim.
Na casa de meu Pai há muitas moradas; se não fosse assim, eu vo-lo teria dito.
Vou preparar-vos lugar.
E quando eu for, e vos preparar lugar, virei outra vez, e vos levarei para mim mesmo, para que onde eu estiver estejais vós também.
Mesmo vós sabeis para onde vou, e conhecei o caminho.
Disse Tomé: Senhor, nós não sabemos para onde vais; e como podemos saber o caminho?
Disse-lhe Jesus: Eu sou o caminho, e a verdade e a vida; ninguém vem ao Pai, senão por mim.

"

João 14 1:6

Prefácio

Olá, é muito bom ter você aqui!

Eu me chamo Osmar Barbosa, sou escritor, autor de mais de 30 livros publicados. Sou médium, expositor, palestrante e babalorixá de Umbanda.

Atualmente, estou presidente da Fraternidade Espírita Amor e Caridade, e trabalho no Hospital Espírita Amor e Caridade, além de exercer meu sacerdócio na Tenda Espírita Santa Catarina de Alexandria.

Se você ainda não me conhece, primeiramente, eu quero agradecer a oportunidade de mostrar-lhe um pouco do meu trabalho e da minha vida.

Sou brasileiro, nasci na cidade de São Gonçalo, município do Rio de Janeiro, em 17 de maio de 1960.

Filho de Aurora Barbosa e Osmar Fernandes dos Santos, sou casado, pai de cinco filhos, quatro são biológicos e um a vida me presenteou. Tenho, atualmente, duas netas, Helena e Alice, e espero que meus filhos me presenteiem com mais alguns.

A minha relação com os espíritos começou ainda na infância, foi aos 7 anos de idade que comecei a me relacionar com eles.

A **Vida** *depois da* **Morte**

Lembro-me que a minha querida mãe sofria muito, pois eu não dava sossego para ela.

Tudo começou após ela ter contraído um novo matrimônio e irmos morar muito próximos a um cemitério. Foram momentos difíceis, pois eu não dormia, os espíritos queriam se comunicar comigo de qualquer jeito, mas eu era apenas uma criança e não compreendia muito bem o que acontecia , mas mesmo assim, os espíritos não deixavam de me atordoar.

As aparições e o meu desespero fizeram com que nos mudássemos daquele lugar rapidamente. Moramos muito pouco tempo naquela casa, e logo fomos morar em um bairro próximo a minha primeira escola.

Passados alguns anos, mesmo vendo espíritos e fugindo deles o tempo todo, minha vida seguiu em frente.

Eu passei por algumas experiências fora do corpo, que modificaram a minha relação com a vida, com os espíritos e com a minha mediunidade.

Aos 9 anos de idade, eu tive a minha primeira experiência de quase-morte. Foi no dia de São Cosme e São Damião, quando juntamos um grupo de amigos e saímos pelas ruas de nosso bairro para pegar doce, pois essa prática é muito comum entre as crianças do subúrbio. É habitual vermos ainda nos dias de hoje, grupos de crianças pelas ruas da nossa cidade, em busca de doces nas casas daqueles que são devotos de São Cosme e São Damião. É o

Halloween brasileiro, eu acho. Embora nós, Umbandistas, também temos a mesma prática e acreditamos na tradicional homenagem.

Estávamos caminhando quando vimos pela frente um enorme lago, tinha acabado de chover e o lago estava bem cheio. O Sol havia reaparecido e decidimos, imediatamente, mergulhar nas águas barrentas daquele lugar. A alegria era total.

Todos mergulharam, e eu também logo decidi dar o meu primeiro mergulho, mas foi naquele momento que eu descobri que não sabia nadar.

Eu me debatia muito, até perder a consciência e afundar desmaiado.

Imediatamente, fui levado para a minha casa, e ao chegar à cozinha vi que minha mãe estava preparando o almoço, ao lado dela, sentada à mesa, estava Lúcia, uma tia minha.

A minha mãe percebeu a minha chegada, e com um olhar desesperador virou-se para a porta e exclamou:
– aconteceu alguma coisa com o Osmar!

Naquele momento, quase que imediatamente, fui sugado para o meu corpo e acordei.

Lembro-me bem que meu rosto estava encostado na lama no fundo do lago, olhei para cima e vi o Sol espelhado na água, quando bati com as duas mãos no fundo do lago e emergi rapidamente.

Uma amiga que fazia parte do grupo, estava desesperada me procurando e, imediatamente, me pegou pelos cabelos e me tirou da água. Passei muito mal, mas logo me recompus e voltamos para casa.

Nunca contei essa experiência a ninguém, pois eu fiquei muito impressionado e assustado com o que passei naquele dia.

Tratava-se ali, do meu primeiro desdobramento, eu continuava a ver espíritos, mas eles já não me incomodavam tanto. Eu simplesmente não dava confiança para as aparições, e elas sumiam, e sempre que apareciam, eu as ignorava.

Aos 14 anos de idade, perdi minha mãe em um terrível acidente de carro, era 15 de dezembro de 1974.

Foi o último dia que eu vi a minha mãe. Era um domingo e passamos um dia maravilhoso. Eu nem imaginava que aquele seria o último dia ao seu lado.

Foram tempos muito difíceis, mas eu segui em frente.

Aos 18 anos, tive o meu primeiro encontro com os espíritos da Umbanda. Foi quando comecei a frequentar um Terreiro de Umbanda, e lá comecei a me relacionar com os espíritos nas consultas. Pretos-velhos, Caboclos, Erês, todos diziam que um dia eu teria que dedicar a minha vida aos guias da Umbanda.

Sempre que eu era atendido pela vovó, conversava com ela sobre as minhas visões e sobre os espíritos que sempre me procuravam.

Ela dizia que no momento certo eu seria convocado para o trabalho espiritual, pois até então eu não sentia nada, mas via e falava com espíritos.

Nunca tinha visto familiares e nunca mais tinha reencontrado a minha mãe até que, aos 26 anos, sofri um terrível acidente e fui mantido em coma induzido por alguns dias, pois sofri lesões seríssimas e precisava que meu organismo voltasse a funcionar. Perdi um rim, tive lesões no baço, intestino e em todo o aparelho gástrico.

Durante o coma, fui atraído para um túnel de luz branca muito intensa, e levado a um imenso jardim. Havia vários espíritos naquele lindo lugar. Eu sabia que estava morto, é impressionante como tudo acontece e como nossa consciência é real. Eu estava muito aborrecido, pois tinha um filho com apenas 3 anos de idade, e morrer não estava em meus planos, afinal, eu já tinha conquistado muita coisa na vida.

Confesso que eu sentia muito ódio em meu coração. Foi quando percebi que ao meu lado havia um banco, desses de jardim.

Decidi sentar e me acalmar, pois sabendo que estava morto não havia mais nada a fazer. Eu não tinha mais motivos para manter o ódio dentro de mim. A única certeza que eu tinha, naquele momento, é que eu não pertencia mais ao mundo dos vivos.

É impressionante como é real e consciente.

A Vida depois da Morte

Eu fiquei ali, sentado por alguns minutos, olhando os espíritos que passavam. Outros, dançavam uma linda melodia, que não sei de onde saía e, até hoje, não consegui ouvir outra para comparar. O lugar era mágico. As árvores diferentes e as flores pareciam mais coloridas.

Tudo me impressionava e me acalmava.

Naquele momento, a minha mãe aproximou-se de mim, e eu não contive a emoção, voei em seus braços beijando--lhe a face com amor e ternura. Quase morri novamente de tanta emoção.

Eu estava muito emocionado com o reencontro.

Até hoje eu sinto o rosto de minha mãe em meus lábios. É impressionante como é tudo real.

Não é sonho, não é pesadelo, não é nada do que estamos acostumados a sentir e a ver.

Minha mãe estava muito feliz, eu pude ver seu sorriso e sua alegria em poder, novamente, me abraçar.

Ela estava serena e seu olhar parecia de muita paz e felicidade. Aquilo me confortou um pouco, pois a vida de minha querida mãezinha sempre foi de muito sofrimento e dor.

Ela dizia:

– Meu filho, como eu te amo!

Abraçado a ela e chorando muito, eu fiquei calado.

O reencontro de nossos corações, que pulsavam de emoção, eu jamais esqueci.

Eu podia sentir o meu coração acelerado em um peito amado novamente.

Os braços de minha amada mãezinha envolviam todo o meu espírito.

Ficamos juntinhos por alguns minutos sem nada falar. Eu ouvia seu coração pulsar de alegria em meu peito. Se pudesse, eu estaria até hoje naquele mesmo lugar, naquele ninho de amor.

Até que quebrei o silêncio:

– Mãe, que saudades de você, que bom reencontrá-la.

Minha mãe então, carinhosamente, puxou-me para sentarmos juntos no banco.

Ela se sentou e pediu para que eu me sentasse ao seu lado. Ela batia com a mão direita mostrando-me onde sentar.

Eu estava muito feliz.

Ela, então, puxou a minha cabeça e a repousou em seu colo, e ficou ali, acariciando meus cabelos. Até hoje quando falo disso meus olhos se enchem de lágrimas. Não são lágrimas de dor, são lágrimas de saudade. Mas, tenho certeza que um dia poderei te abraçar outra vez mãe, e entender muita coisa sobre a minha humilde caminhada.

Eu senti algo muito bom naquele momento. Afinal, eu estava novamente com a minha mãe, e melhor, sendo acariciado de novo por ela.

Senti-me como seu menino mais uma vez.

– Mãe, eu estou tão feliz em te encontrar.

– Eu também, meu filho.

– Poderei viver aqui ao seu lado para sempre, mãe?

– Não, meu filho, ainda não.

– Não? Como assim? Se já estou morto, por que não posso ficar com você? Eu não quero voltar, mãe.

– Você ainda tem muita coisa a fazer, meu filho, e precisa voltar.

– Não quero, mãe. Eu não quero voltar, não quero ir a lugar nenhum. Só quero ficar aqui, ao seu lado.

– Você tem que voltar, Osmar. Seja um bom homem, seja honesto, seja sincero, verdadeiro e bom.

Meu peito estava acelerado , pois me assustava o fato de ficar sem minha mãe novamente.

Sem que eu conseguisse dizer ncm mais uma palavra, eu acordei.

Abri os meus olhos e vi que estava intubado no CTI do pronto-socorro onde dei entrada.

Fiquei novamente com muita raiva, pois eu não queria estar ali. Eu queria ficar com a minha mãe. Era tudo tão real, como assim voltar?

Dentro do pequeno quarto onde eu estava, eu vi quando a minha mãe se afastou lentamente, deixando-me ali com lágrimas nos olhos.

Foi quando uma enfermeira se aproximou de mim, olhou-me e disse:

– Graças a Deus você acordou! Há uma multidão lá fora torcendo por você.

Olhei para ela com ternura.

Eu não queria ver aquela doce enfermeira, eu queria estar ao lado de minha amada mãe.

Imediatamente, ela chamou os médicos que tiraram alguns tubos de mim.

Eu estava muito impressionado com minha morte e vida. Algo muito estranho aconteceu comigo naqueles minutos seguidos... eu me acalmei e aceitei o retorno ao meu corpo físico. Como minha mãe havia dito, eu precisava fazer algumas coisas por aqui antes, para depois poder voltar ao convívio dela naquele lindo lugar.

Aceitei os desígnios daquele momento. Calei-me e procurei entender tudo o que havia experimentado com a minha mãe.

Após um mês e meio deixei o hospital e voltei para o meu apartamento.

Eu morava sozinho, tinha um excelente emprego e estava na melhor fase da minha vida profissional quando tudo isso aconteceu.

Mas, aquela experiência ao lado da minha mãe, certamente mudaria meu destino.

Eu já não via mais muitos espíritos, parece que eles tinham esquecido de mim naquela época.

Meses depois, eu conheci uma menina que viria a ser minha melhor amiga. Foi ela quem me apresentou ao Espiritismo.

Encontrei no Pentateuco espírita e nas obras de Chico Xavier, as respostas para todos os meus questionamentos.

Foi nessa época, também, que eu tive a oportunidade de conhecer o meu mentor espiritual, foi quando ele me convidou para essa missão.

Aceitei de pronto, busquei desenvolver a minha mediunidade, e logo, comecei a minha caminhada dentro do Espiritismo.

Minha vida é um livro...

Porém, vamos deixar o resto dessa história para a minha biografia que, aliás, já está escrita e um dia chegará até vocês.

Uma coisa é certa meus amigos e minhas amigas: "A vida não termina com essa vida".

Nesse momento, estou vivendo plenamente. Viver plenamente é ser feliz, e eu sou muito feliz.

Minha religião mostrou-me o caminho, e o Espiritismo é o caminho correto para nós, fiquem certos disso.

Lembro-me das palavras do Frei Daniel, que preside a Colônia Espiritual Amor e Caridade.

Certa vez, quando eu estava psicografando o livro *Colônia Espiritual Amor e Caridade*, ele disse:

– Osmar, o Espiritismo não é a religião do futuro, o Espiritismo é o futuro de todas as religiões.

Sinto-me na obrigação de escrever mais sobre a vida após a morte, porque, infelizmente, ainda há muita gente descrente dessa realidade. Há muita gente perdida nos labirintos da mentira e da enganação.

Não somos um amontoado de carne e ossos, somos espíritos eternos expiando, temporariamente, em um corpo físico. Precisamos crer nisso.

A vida na Terra não termina quando a morte visita a carne.

A morte é um acontecimento biológico, e nada mais que isso.

Ao deixarmos a carne, viveremos experiências inimagináveis, podem apostar. E foi uma dessas experiências, que eu tive o privilégio de psicografar e relatar neste livro que, certamente, irá mudar o seu destino.

Sejam bem-vindos ao livro: *A Vida Depois da Morte*.

Osmar Barbosa

" "

A vida não se resume a esta vida.

Nina Brestonini

COVID-19

Eu comecei a escrever este livro durante a pandemia do coronavírus.

Estávamos todos muito ansiosos com a chegada da vacina. Já havia algumas em testes.

Eu sempre confiei e confio muito na espiritualidade que me cerca, e esses amigos sempre disseram que o milagre já estava a caminho.

Realmente, o que aconteceu foi um verdadeiro milagre, pois em menos de um ano, já tínhamos a vacina sendo testada em quase todo o planeta, e havia uma expectativa muito grande quanto aos resultados.

Nunca na história desenvolvemos um imunizante em um período de tempo tão curto.

Isso eu chamo de milagre.

Precisamos acreditar que não estamos a nossa sorte, existe algo maior que a nossa imaginação. Há uma força grandiosa que controla todo o Universo, creiam nisso.

Durante a pandemia, muita gente tem me procurado pedindo ajuda, porque perdeu alguém muito importante para o vírus. E quais conselhos eu poderia dar? Quais palavras deveriam ser usadas para confortar corações em sofrimento? Realmente, perder alguém para um vírus é algo inimaginável.

Como assim, a pessoa estava aqui e de repente morre, sem ao menos podermos enterrá-lo? Sem despedidas? Será castigo de Deus o que está acontecendo?

A onda do castigo de Deus invadiu o nosso planeta, todos falam em castigo.

Eu não acredito em castigo, sempre acreditei e acredito em colheita. Colhemos exatamente o que semeamos, é isso que acredito.

Eu acredito no amor do Criador por sua obra, assim são as encarnações para mim, a expressão maior do amor, e a justiça da colheita.

Fui espírita a vida inteira, confesso que não sou perfeito e nunca fui. Errei, falhei como todos falhamos algum dia, mas algo em mim sempre me alertou para as minhas falhas, e logo que sou avisado delas, procuro corrigi-las imediatamente, assim tenho uma vida simples, mas feliz.

Aconselho a todos que lerem este livro, a sempre ouvirem a voz da consciência, pois em minha visão é ali que habitam nossos anjos protetores, nossos amigos e nossos amores eternos.

Uma vez, a Nina me disse que se Deus nos castigasse, se Deus tivesse nos criado para ficar sentado no Céu nos castigando, Ele não estaria capacitado para ser Deus, pois seria um tirano, e tiranos não conseguem ser Deus, e eu concordo plenamente com ela.

Deus é algo muito maior que simples castigos.

Em tudo o que tenho visto, psicografado, observado e sentido, Deus é amor em essência, e sendo Ele toda forma de amor, jamais castigaria seus filhos.

Eu acredito é que Ele educa, Ele nos dá novas oportunidades, e se não fosse assim, Ele não seria Deus. E essas oportunidades são infinitas.

Na verdade, fomos educados desde pequenos a temer a Deus, essa é a grande verdade.

Desde o berço nossos pais e avós, também doutrinados por essa ideologia, nos informam que Deus nos castiga. Isso acaba ficando registrado em todas as nossas lembranças, em nossa consciência, em nosso íntimo.

Para vender a redenção, eu tenho que criar o pecado, e essa é a ideia da maioria das religiões, infelizmente.

É com essa mentalidade que as religiões se expressam. Todas, sem exceção.

Infelizmente, é difícil mudar esse ponto de vista, muito difícil.

E essa é a minha opinião... não quero e nem desejo mudar o pensamento de ninguém. O meu intuito é alertar e escrever sobre tudo o que aprendo através da minha mediunidade, com os amigos do plano maior e com a minha religião.

Lembro-me de um ensinamento e vou partilhar abaixo com vocês. Prestem muita atenção nesse texto, pois ele reflete tudo o que eu acredito:

*A **Vida** depois da **Morte***

"Não sou branco, negro, amarelo ou vermelho.

Sou um cidadão do Universo, no momento, estagiando como Ser humano na escola terrestre.

Não sou homem ou mulher, nem alto ou baixo.

Sou uma consciência oriunda do plano extrafísico, uma centelha vital do Todo, que está em tudo!

Tenho a cor da Luz, pois vim das estrelas.

Sei que o meu tempo aqui na Terra é valioso para minha evolução e não devo desperdiçar nenhuma oportunidade.

Não há religião acima da verdade.

O Divino se manifesta, em milhares de formas diferentes.

Só se escuta a música das esferas superiores, com o coração.

Nada pode me separar do 'Amor Maior que Governa a Existência'.

Espiritualidade não é um lugar, grupo ou doutrina. É um estado de Consciência do Ser.

Tudo o que me doutrina, me limita, e não posso ser limitado, pois sou parte de todo o Ser.

Ninguém compra Discernimento ou Amor.

Não há progresso consciencial verdadeiro se não houver esforço na jornada de cada um.

O dia em que nasci não foi feriado na Terra.

E no dia em que eu partir, também não será!

Tudo que penso e sinto se reflete em minha aura.

Minhas energias me revelam por inteiro. Logo, preciso crescer muito, para melhorar a Luz em mim.

Não vim de férias para o mundo, mas para aprender, trabalhar e vencer a mim mesmo nas lides da vida.

Não sou o centro do Universo e sem a Luz não sou nada!

Sem Amor, o meu coração fica vazio...

Sem espiritualidade, meu viver perde o sentido.

Os guias espirituais não são minhas babás extrafísicas.

Eles são meus amigos de fé e trabalho... Ninguém sabe tudo e conhecimento não é sabedoria.

Todos somos professores e alunos uns dos outros.

Não nasço nem morro, só entro e saio dos corpos perecíveis ao longo da evolução, quantas vezes forem necessárias para me tornar um espírito perfeito.

Não posso ser enterrado ou cremado, pois sou um espírito, não morro e muito menos deixo de existir.

Viver não é só comer, beber, dormir, copular e morrer sem sentido algum.

Viver é muito mais: é pensar, sentir e viajar de estrela em estrela, sempre aprendendo, evoluindo.

De nada vale a uma pessoa ganhar o mundo se ela perder sua alma. A alma não tem preço.

O mal que me faz mal, não é o mal que me fazem, mas o que acalento em meu coração.

Sou mestre de nada e discípulo de coisa alguma.

Somos todos um!

Sem Amor ninguém segue em frente.”

Em síntese, é isso que eu acredito. É isso que aprendo todos os dias com meus amigos espirituais. Esse é meu lema, meu caminho e minha verdade. Não sou algo qualquer...

Jesus também nos ensinou muita coisa.

Se Jesus não é a palavra, a verdade e a vida, quem estará certo?

Disse o Messias:

"Esforça-te, e tem bom ânimo; não temas, nem te espantes; porque o Senhor teu Deus é contigo, por onde quer que andares." Josué 1:9.

"O Senhor, pois, é aquele que vai adiante de ti; Ele será contigo, não te deixará, nem te desamparará; não temas, nem te espantes." Deuteronômio 31:8.

Reparem que Jesus nos informa que Deus está sempre cuidando de todos nós.

Então, devo temer a Deus?

Primeiramente, precisamos entender o significado de Temor.

O que é Temor?

Temor é um substantivo masculino na língua portuguesa, usado para definir o ATO OU EFEITO DE TEMER, ou seja, o medo, receio, pavor e terror de algo ou alguma coisa.

A palavra temor é comumente empregada no sentido de sentir medo de situações desagradáveis e inevitáveis, como o temor da miséria, da velhice ou temor da morte.

O termo também pode estar relacionado com a obediência e demonstração de rigor e pontualidade em relação a algo.

Exemplo: "ele cumpria com temor as suas obrigações."

A sensação de instabilidade, ameaça ou dúvida, também são sentimentos relativos ao temor. No âmbito profissional, por exemplo, o temor pode estar relacionado com o medo de perder o emprego ou não conseguir um aumento de salário.

Em um sentido figurado, o temor pode ser, também, um sentimento transmitido entre pessoas, ou seja, um indivíduo ser intimidado por outro, provocando medo e ao mesmo tempo respeito.

O "respeito" adquirido a partir do temor, é baseado no medo e pavor, e não pela admiração.

E o temor a Deus, o que é?

O temor a Deus é um sentimento de respeito e reverência praticada pela Doutrina Cristã, segundo previsto no *livro de Hebreus da Bíblia Sagrada:*

"Por isso, recebendo nós um reino inabalável, retenhamos a graça, pela qual sirvamos a Deus de modo agradável, com reverência e santo temor; porque o nosso Deus é fogo consumidor." (Hebreus 12:28-29).

Para o cristão, o significado do temor a Deus está na obediência e cumprimento das regras estabelecidas por Ele e pela Doutrina Cristã.

A **Vida** *depois da* **Morte**

Algumas pessoas acreditam que o temor a Deus está relacionado com o medo do Seu julgamento, sendo condenados para a morte eterna ou ao inferno, caso não cumpram os Seus mandamentos.

Na Bíblia, existem algumas regras explícitas sobre o significado do Temor do Senhor para os cristãos, entre elas, o crente em Deus deve:

Ter atitudes de santidade e pureza. Ser fiel a Deus. Adorar exclusivamente a Deus como único Deus. Aborrecer o mal. Viver uma vida de sabedoria e fé em Deus.

Pelo que converso e vejo no mundo dos espíritos, não há a menor possibilidade de Deus nos castigar. Temos que compreender que não somos espíritos errantes, somos filhos do Criador de todas as coisas.

Portanto, no reino dos Céus não há castigo, e sim, possibilidades infinitas de refazer o caminho, e podemos refazê-lo quantas vezes forem necessárias, já que somos eternos.

Durante esse período de pandemia, aliás, durante toda a minha vida, defendendo aquilo que acredito, sou questionado sobre a vida após a morte.

Aqueles que não acreditam na vida futura, costumam me questionar sobre essa possibilidade.

Embora tenhamos muitos ensinamentos que nos mostrem que a vida não se resume a essa vida, as pessoas questionam, principalmente, quem defende essa realidade, pessoas assim como eu.

Eu sei que é complicado para nós, encarnados, acreditarmos nisso. Eu sei que é difícil, pois não temos cientificamente nenhuma comprovação de tal fato.

Entretanto, eu não posso de maneira alguma questionar isso, pois sou prova viva da existência após a vida.

Eu estive com a minha mãe, eu beijei a minha mãe, eu vivo nas Colônias Espirituais escrevendo livros... mas como passar isso para as outras pessoas? Como despertá-las para uma realidade, que será o próximo passo das vidas encarnadas? Como fazer-me transparente, e mostrar aquilo que não tenho nenhuma dúvida?

As pessoas dizem que, se eu não lembro, não existe.

Se ninguém voltou para me contar como é, não acredito.

Mas, essas mesmas pessoas que dizem essas barbaridades, acreditam que quando morrerem irão para o Céu. Como assim? Que Céu? Onde fica? Quem criou? Onde está a prova que existe?

Outros dizem que não acreditam em nada, e que quando morrerem irão para o inferno. Como assim? Quem foi que criou o inferno? Onde fica? Alguém voltou para contar como é?

Evangelhos... ah, os evangelhos...

Eu relato aquilo que vejo.

Eu relato aquilo que sinto.

Sei que qualquer coisa que eu fizer contra as Leis divinas (Leis Naturais), estarei em "maus lençóis".

A Vida depois da Morte

Eu sei que o que me levará para um lugar de conforto e paz, é aquilo que semeei durante a minha curta existência terrena, e que elas, as múltiplas vidas, são o que permitirão conhecer a mim mesmo em primeiro lugar, e o que me possibilitará viver em harmonia com o Universo, que eu sequer consigo imaginar, mas que só descobrirei a partir do momento em que respeitar as Leis Naturais, e aperfeiçoar-me moralmente e intelectualmente.

A vida não se resume a esta vida, essa foi a primeira frase que a Nina Brestonini me apresentou, na primeira psicografia que fiz, no livro *Cinco Dias no Umbral*. Lugar que nunca tinha imaginado existir, e que foi apresentado a mim pelos amigos da Colônia Espiritual Amor e Caridade.

Eu sempre pedia à Nina e aos meus mentores que me dessem um machado, um machado fluídico, que fosse capaz de rachar a cabeça das pessoas ao meio, e que eu pudesse colocar em cada mente, em cada Ser vivo, aquilo que estou cansado de saber: a vida não termina nesta vida.

Uma vez, eu fui convidado para palestrar em um Centro Espírita em São Paulo. Estavam acontecendo as festividades do centenário daquela Casa Espírita.

Eu fiquei muito feliz e lisonjeado com o convite.

Havia vários palestrantes que se apresentavam de hora em hora, com intervalos de uma hora para descanso, banheiro, lanche, autógrafos e livraria.

Eu estava ansioso, o Centro estava muito cheio. Era uma linda tarde de domingo na cidade da garoa.

Chegada a minha hora, subi ao púlpito e comecei a falar sobre os livros *Cinco Dias no Umbral*, sobre a trilogia dos livros da Nina.

Foi quando eu relatei esse meu desejo a todos os presentes, e para a minha surpresa, a Nina apareceu para mim, sentada na primeira fileira, olhando-me.

Levei um grande susto, não que eu me assuste com espíritos, mas eu não esperava pela Nina ali, como assim? Domingo à tarde? Centro Espírita em São Paulo?

Ela olhou para mim e, carinhosamente, me disse:

– Continue, você está indo muito bem.

Foi, então, que contei a todos da presença dela. Eu fiquei emocionado e nervoso, aquilo era uma novidade para mim. Como assim, Nina sentada me assistindo? A emoção tomou conta de mim, e todos puderam perceber.

A plateia ficou eufórica e todos me olhavam com carinho. Alguns, desconfiados, me olhavam com incredulidade.

Naquele momento, eu contei do meu desejo de ter um machado.

Foi quando a Nina olhou para mim e disse:

– Você já tem o machado.

Eu disse: – como assim, Nina?

– Os livros, Osmar. Os livros são o machado que você tanto nos solicitou.

Naquele momento, a emoção tomou conta de mim mais uma vez.

– "O livro é ferramenta espiritual que abre as mentes, basta ler com o coração." – disse Nina.

Relatei, imediatamente, o ocorrido à plateia, e todos ficaram extasiados e muito felizes.

Espero que o meu machado tenha funcionado com aquele grupo de pessoas que, após a palestra, me abraçaram e festejaram muito aquele encontro. Espero que o meu machado esteja funcionando com você que está lendo este livro.

Foi um dia inesquecível. Como são todos os dias ao lado da Nina e dos espíritos de Amor e Caridade.

Os espíritos nos proporcionam momentos inesquecíveis, creia nisso!

Eu sempre quis escrever sobre o tema deste livro. Acho muito importante que todos saibam o que acontece conosco após a vida terrena.

Sempre pedi à Nina e aos espíritos de Amor e Caridade que me dessem essa oportunidade, e eles sempre me prometiam que, no momento certo, escreveríamos sobre a vida fora do corpo.

A literatura espírita é farta nesse tema.

Quase 100 por cento dos livros espíritas abordam sobre a vida após a morte, sobre existências futuras e tudo o mais. Eu gosto de escrever o que vejo, os lugares que visito, as informações que são passadas para mim, as Colônias que tenho a oportunidade de visitar, enfim, tudo aquilo que aprendi e aprendo com os espíritos amigos todos os dias.

Minha visão, meu olhar, meu caminhar, tudo...

Era uma segunda-feira quando implorei à Nina por este livro.

Ela apareceu para mim gentilmente, e sentou-se ao meu lado. Ela estava linda, como sempre.

Alegre, sorridente, feliz, e me disse: – Vamos atender o seu pedido.

– Sério, Nina?

– Sim, posso me sentar?

– Claro!

Ela, então, sentou-se ao meu lado e começamos a nossa conversa.

– Então, Osmar, você tem pedido a nós para escrever um livro sobre a vida após a vida.

– Sim, Nina.

– Chegou o momento de falarmos um pouco sobre isso. Embora, todos os livros que escrevemos com você, também relatam as experiências fora do corpo físico.

– Eu fico feliz. Sabe Nina, tem muita gente em depressão, a meu ver, essa pandemia tem causado muitos desequilíbrios nas pessoas.

– Você está certo, Osmar. O momento pelo qual vocês estão vivendo é deprimente, e muitas almas estão aflitas e perdidas, sem entender muito bem os motivos dessa prova.

– É uma prova, Nina?

– Tudo é prova.

– Compreendo.

– Todos os dias recebes uma página em branco no livro da vida...

– Sim, Nina, o que escrevemos nela é por nossa conta.

– Viu, como sabes...

– Sei perfeitamente disso.

– O que semeias, colhe.

– Sim, sabemos disso também.

– Portanto, tenham calma. Nada está ao acaso, e tudo o que vos acontece tem uma razão de ser, tem um motivo e um objetivo.

– O problema é aceitarmos tudo isso, pois somos imediatistas, Nina.

– Esse imediatismo se dá pela ausência de futuro. Pelas incertezas e pelo desconhecimento de si mesmo.

– Como assim, Nina? Ausência de futuro?

– Tens certeza de que estarás encarnado amanhã?

– Não.

– É isso, instintivamente queres tudo para hoje. Todos estão inseguros. A falta de conhecimento da vida após a vida, vos causa essa instabilidade emocional e espiritual.

– Sério, Nina?

– Sim, o tempo todo estás correndo contra o tempo. Essa correria, muitas vezes, é inconsciente. Como não sabes do futuro, queres que ele se apresse e apresente-se o quanto antes a vocês. Esse é o grande mal dos encarnados. Não crer que és eterno, e que não estás entregue aos acasos da encarnação, vos afasta da essência divina que há em todos os espíritos.

– Meu Deus, pior que é isso mesmo, Nina.

– Acordas todos os dias pela manhã, preocupado com o que tens a conquistar. Observe que suas realizações e seus objetivos não são espirituais, eles são em sua maioria, materiais. Como não conheces o espiritual, como ainda não despertastes para a vida futura, ficas correndo para resolver aquilo que não levarás. E pior, juntas o que não levas, e no final, gasta para ficar vivo por aquilo que não viverás.

O patrimônio material não é benéfico ao espírito. Não há relato de nenhum espírito que tenha deixado farto patrimônio, e esteja feliz na vida espiritual, com o destino dado a tudo o que defendeu durante a nefasta vida humana.

Esse é o sofrimento real da maioria dos espíritos que povoam as Colônias, arrependidos pelas oportunidades desperdiçadas.

– É por isso que tenho pedido essa psicografia a vocês, precisamos despertar mentes, Nina.

– Temos feito isso há milênios, Osmar, milênios.

– Permita-me ser mais uma, Nina?

– Uma o quê?

– Uma voz, que implora pela compreensão da vida após a vida.

– Você já é essa voz.

– Eu sei, mas gostaria de falar mais sobre esse tema, mostrar mais coisas para os meus leitores.

– Eu vou te passar alguns ensinamentos, e depois, vou te levar a alguns lugares que você sequer imagina existir, assim, relate tudo o que você vir e ouvir. Vamos, também, acompanhar o desencarne de alguns espíritos, e o que lhes é revelado na vida eterna.

– Obrigado, Nina.

– Não agradeça...

– Já sei... escreva, Osmar, escreva...

Nina sorriu para mim, e me deixou naquela tarde. Eu fiquei emocionado e ansioso para o próximo encontro, afinal, escreveríamos sobre o que acontece conosco ao deixarmos o corpo físico e a vida na Terra.

Como é a vida após a morte?

Para onde vamos?

O que nos espera?

> "
> *Em minha caminhada, se não houver amor, estarei*
> *perdido nos vales da dor.*
> "
>
> Osmar Barbosa

A vida após a vida para as religiões

Manhã de terça-feira.

Antes de começar essa psicografia, eu gostaria de conversar com todos vocês sobre a visão da morte através das religiões, acho importante expandirmos o nosso conhecimento, para podermos entender melhor tudo o que nos será revelado daqui por diante.

Falar sobre a morte, para mim, é muito fácil, já que vivi algumas experiências de quase-morte, e tenho plena convicção do que me espera. Como relatei acima.

Mas, vamos ver o que algumas religiões falam sobre a morte, para uma melhor compreensão. Lembrando, que não tenho a intenção de comparar a minha crença com a crença de ninguém, a intenção é mesmo mostrar e partilhar com todos os meus leitores um pouco dessa visão. O que nos acontece após a morte por outras religiões?

Não falaremos de todas as religiões, pois é algo impossível para um livro que tem por objetivo nos convidar a uma reflexão.

Vamos falar de algumas...

A vida após a morte é um tema que ainda gera muitas controvérsias, tanto para as pessoas que são religiosas, quanto para aqueles que não seguem nenhuma religião.

Saber o que nos acontece de fato, e se existe a vida após a morte, é tido para a ciência como um grande mistério, afinal, ninguém que morreu voltou para contar, exceto pelas psicografias que alguns insistem em não acreditar.

Se observarmos com atenção, veremos que as psicografias existem desde que o mundo é mundo, pois os textos bíblicos e os escritos antigos nada mais são do que psicografias prevendo o futuro da humanidade.

As parábolas e tudo o que está escrito, preveem o futuro da vida sobre o Orbe terreno, e informam sobre a vida após a vida. Lembremos que Jesus sempre nos alertava sobre um outro reino... o reino dos Céus.

Para algumas religiões, o conceito de vida após a morte é visto de várias maneiras. Alguns não acreditam que após a morte, a pessoa falecida ressurja por meio da reencarnação.

São visões que iremos mostrar neste capítulo, com o intuito de corroborar com os ensinamentos que iremos receber neste livro.

A seguir, confira o ponto de vista de algumas religiões sobre esse conceito.

Vida após a morte para o Espiritismo:

Para nós, espíritas, a vida após a morte é apenas uma passagem para uma jornada que deve ser concluída pelo espírito, na qual ele passará por uma evolução, até não precisar mais da reencarnação.

Quando o corpo físico morre, o espírito torna-se consciente, vivo e liberto, voltando a habitar as cidades espirituais, locais de onde veio para expiar na encarnação. Retornamos à vida espiritual.

Segundo a visão espírita, as pessoas consideradas boas, que fizeram muita caridade, evoluem de forma fluídica, já as pessoas consideradas "pecadoras", passam a ter uma oportunidade de reparar seus erros por meio da reencarnação, ou seja, voltam a viver as experiências, e recebem uma nova oportunidade para reparar os erros cometidos.

A vida após a morte no Islamismo:

Para as pessoas que são adeptas do Islamismo, a questão da vida após a morte é parecida com o Cristianismo em alguns pontos.

Eles acreditam que quando o corpo, que é a matéria, morre, o espírito, que é alma, poderá ter dois destinos: o Céu ou o Inferno, e quem decide se aquele espírito vai para o Céu ou para o inferno, é Alá, de acordo com os atos realizados aqui na Terra.

O Islamismo possui uma lei extremamente rígida, que para seus seguidores, vale a pena ser seguida.

Os praticantes do Islamismo acreditam que, após a morte, aqueles que foram escolhidos por Alá irão desfrutar de:

- Vida eterna no paraíso;
- 80 mil servos a seu dispor;
- 72 virgens.

A vida após a morte no Budismo:

Os praticantes do Budismo acreditam na reencarnação, semelhante aos espíritas, a única diferença é que essa reencarnação de vida após a morte, pode surgir de uma forma um pouco diferente.

Para os budistas, a pessoa que teve uma má conduta em vida, pode ter a sua alma reencarnada em uma barata ou, até mesmo, em uma pulga.

Já aqueles que fizeram boas obras, podem reencarnar no corpo de um príncipe ou uma águia.

Para eles, o ciclo de reencarnação permanece até o espírito se libertar do carma, e quando isso finalmente acontece, a pessoa reencarna de forma definitiva, podendo surgir em seis mundos diferentes:

- Celestial;
- Humano;
- Animal;
- Guerreiro;
- Insaciável;
- Infernal.

Depois da morte, há o renascimento.

A Terra Pura nos chama, e os entes queridos que fizeram a passagem antes de nós, nos conduzem para a nova vida. É assim que os monges explicam a morte, sob o ponto de vista de sua religião.

A Terra Pura é vista como um lugar bonito, onde todo o bem que se quer fazer ao outro, se realiza. "No Budismo, não se fala em alma, mas se fala em espírito. (Ao morrer), é como se deixássemos esta Terra Impura e nos transferíssemos para a Terra Pura. E, lá, podemos passar algum tempo nos preparando, ou para ir mais adiante, para um local mais sublime ainda, ou retornar a essa vida."

O budista não acredita em inferno ou purgatório. E todas as ações, boas ou ruins, já são julgadas ao longo da vida. "Se a pessoa faz o mal, certamente, pode parecer aos outros que o crime compensa. Mas, não. Ele sofre. Sofre até em silêncio, até escondido, mas ele recebe o merecido por seus atos, mas nesta vida".

A vida após a morte para os Umbandistas:

A religião Umbandista acredita em vida após a morte.

Para eles, a alma pode ser levada para sete linhas diferentes, que são guiadas por Orixás ou outras entidades divinas, tudo vai depender da vida que a pessoa levou aqui na Terra.

Os umbandistas acreditam na reencarnação do espírito após a morte.

Se a pessoa teve boas obras, ela irá reencarnar podendo ser um espírito protetor, já aqueles que foram maus, irão reencarnar em forma de espíritos perturbadores.

A vida após a morte no Catolicismo:

A crença do Catolicismo sobre a vida após a morte é a mais popular no Brasil.

A religião prega que o ser humano é composto por:

• Corpo físico;

• Alma;

• Espírito.

Quando o indivíduo morre, ocorre uma separação, o corpo volta para a terra, o espírito volta ao lugar de onde veio (Deus), e a alma pode ir para o Céu, o inferno ou para o purgatório.

As pessoas que obedecerem aos ensinamentos deixados por Jesus, poderão usufruir do Céu ou paraíso, lugar onde não há sofrimento ou dor.

Para aqueles que fizeram mal na Terra, o lugar que os esperam é no inferno, um dos lugares mais temidos no Cristianismo, onde haverá fogo, sofrimento, demônios e ranger de dentes.

Para eles, uma vez indo para esse lugar, não há mais volta.

Para a Igreja Católica, as pessoas que não foram boas como deveriam, para irem para o paraíso, mas, também, não foram más ao ponto de irem para o inferno, após a morte, o destino que as esperam será no purgatório.

Nesse lugar, seus espíritos ficarão por um tempo indeterminado, e só poderão sair de lá mediante muitas orações por aquela alma.

A vida após a morte no Protestantismo:

Os seguidores do Protestantismo não acreditam na reencarnação, semelhante ao Catolicismo. Eles acreditam que quando morre, o corpo, que é a matéria, volta para a terra, o espírito volta para Deus, e a alma vai para o Céu ou o inferno.

No Protestantismo, acredita-se que as pessoas passarão por um julgamento, e o que decidirá para onde irão as suas almas, não são somente as suas obras na Terra, mas, sobretudo, a fé que demonstraram ter ou não em Jesus.

Independente da crença ou religião que as pessoas fazem parte, o fato é que a morte existe, e isto, é o mais assertivo que sabemos.

Preparar-se para esse momento de despedida, é pensar no futuro da sua família e daqueles que ficarão após a sua partida.

É nesse momento de fragilidade que muitas empresas se aproveitam da situação e cobram valores mais altos que os naturais para um funeral.

A vida após a morte para os Evangélicos:

Para os cristãos evangélicos, a morte é fenômeno natural e que acontece apenas uma vez.

Ao morrer, o corpo é separado do espírito.

O que é matéria, vira pó, enquanto o espírito, volta para Deus.

"Temos o entendimento de que a morte é uma separação do corpo físico e do espírito, e o espírito não é meu, ele pertence a Deus".

Embora seja difícil separar-se de um ente querido, os pastores esclarecem que, para os evangélicos, a morte não significa perder, mas ganhar. "Não é o fim para a gente".

"No Céu, não haverá mais dor ou lágrimas, a gente não sente nada disso. Ao contrário, encerrou-se a nossa participação nesse mundo de choro e decepção."

"No Céu, enfatizam os pastores, os homens viverão uma nova vida, sem sofrimentos".

A vida após a morte para o Judaísmo:

Na religião judaísta, as pessoas acreditam que a morte não é o fim, mas a libertação para o começo de uma nova vida em um plano espiritual.

Os judeus acreditam que quando ocorre um óbito, acaba-se ali a matéria, mas a alma é deslocada para um outro mundo, onde tem-se a liberdade de voltar para a Terra e reencarnar em um outro membro da família, para concluir sua missão aqui.

Parte do ciclo da vida, a morte é vista com naturalidade para o judaísmo.

Nas palavras de uma estudante de formação rabínica, "não é que o judaísmo não se preocupa com a morte. Ele não se ocupa da morte". A preocupação, então, é com a vida, diz.

"Falamos que o que fizemos da vida vai ter reflexo depois da morte. Os que ficaram vão sofrer os impactos das minhas ações enquanto estive aqui. Esse é o principal reflexo". – comenta a estudante.

Uma das peculiaridades da religião judaica, é que o enterro é preparado pela própria comunidade. São voluntários que se planejam para cuidar dos preparativos, para que a família não tenha de lidar com isso no momento. "É uma forma de aliviar a carga".

A vida após a morte para os Ateus:

Para a maioria dos ateus, a morte pode ter diversos significados. "A gente morre várias vezes na vida. Morre na infância, quando vira adolescente, e na adolescência, quando vira adulto.

Morre para uma fase da vida quando atingimos determinadas idades, e a gente também morre para um tipo de vida quando faz vestibular". É um ritual de passagem, em geral, sem retorno. Comemorado ou celebrado opcionalmente, sempre que se passa por essas fases.

Ainda que haja a tentativa de buscar significados abstratos, para os ateus, a morte em si, é simplesmente a vida que acaba.

Na visão materialista, a consciência emerge do funcionamento de células, órgãos e tecidos. Quando esse mecanismo cessa, cessa também, a consciência. "Pessoalmente, acho que eu não vou para lugar nenhum". – diz um rabino consultado por mim. "Eu vou virar pó. Aspiro ser cremado, e ponto final."

Tal percepção, no entanto, não significa que não exista "vida após a morte" para os ateus. "Eu não rezo para o meu pai e minha mãe (que já morreram), mas eles vivem em mim, e o fato de eles viverem em mim – que nada mais é do que a memória que tenho deles – me faz alguém melhor". – comenta o rabino, que também fala da importância da vivência do luto.

"É um processo que permite a cada um de nós entronizar os nossos mortos. A gente se torna mais forte, mais humano, quando incorpora os nossos mortos."

Como podemos ver acima, são credos, conceitos e experiências humanas e espirituais, para definirmos o que é a vida depois da morte.

Somos livres para acreditarmos naquilo que mais nos convence, é assim que nos tornamos religiosos.

Uns tornam-se crentes por vontade de conhecer a Deus, e outros, para elevar seu intelecto com relação a uma religião que deseja seguir.

A verdade é que, todos nós, temos uma chama divina acesa dentro do nosso ser espiritual, e que nos lembra sempre que precisamos manter essa chama acesa, pois é a claridade dela que irá nos guiar em algum momento da nossa existência.

São passos inconscientes que os espíritos dão sobre a Terra.

Somos atraídos às coisas de Deus mesmo sem querer ou perceber.

São forças magnéticas que nos atraem ao divino.

Todos os espíritos, encarnados ou desencarnados, estão em busca dessa luz... creiam.

Um dia você vai precisar dela...

> "
>
> *Tudo foi criado para a evolução dos espíritos.*
>
> "
>
> *Lucas*

O reencontro

Naquela manhã, eu estava em casa me preparando para mais um dia. Terminei o meu banho matinal e entrei no quarto para pegar uma camisa. Vi que Nina se aproximava, e emocionado, a recebi com o carinho de sempre.

– Bom dia, Osmar.

– Bom dia, Nina. Que bom ter você aqui.

– Eu é que agradeço a oportunidade.

– A que devo a honra?

– Vamos escrever?

– Sim, claro.

– Prepare-se e me encontre no lugar de sempre.

– Já estou indo, Nina.

Coloquei rapidamente a camisa, e após um café, dirigi-me ao escritório onde faço as psicografias.

Logo que cheguei, pude ver que Nina estava sentada em uma cadeira ao lado da minha, me esperando para darmos continuidade a este livro.

– Estou pronto, Nina. – disse após me sentar e preparar os papéis.

– Então, vamos escrever.

– Sim.

– Eu te convido a me acompanhar em desdobramento, para que você relate tudo o que conversarmos e vermos pela sua viagem astral.

– Combinado, Nina. Faremos como sempre.

– Sim, faça como sempre.

Naquele momento, Nina me levou até uma sala dentro da escola a qual ela administra na Colônia Amor e Caridade.

Há, na vida espiritual, estruturas muito parecidas com as cidades em que vivemos.

A vida após a vida não é de muitas surpresas, exceto as surpresas espirituais, que todos nós vivenciaremos.

Na Colônia Espiritual Amor e Caridade há prédios, galpões, hospitais, salas de atendimento onde os espíritos são recebidos. Há lagos com belos jardins a sua volta, lugar onde os espíritos descansam e conversam após realizarem suas tarefas; há prédios de administração, controle, e oficinas de trabalho.

Há, ainda, algumas escolas, teatros, e muitas outras coisas, que todos vocês poderão ver quando lá chegarem.

Lembrei-me da escola que a Nina administra, quando estive lá na psicografia do livro *Colônia Espiritual Amor e Caridade – Dias de Luz*. Eu estava no mesmo lugar.

O trabalho que é feito com as crianças é fantástico.

– Sente-se, Osmar.

– Obrigado, Nina – disse, me sentando.

– Lembra-se dessa escola?

– Sim, perfeitamente. Vejo que o trabalho continua intenso por aqui.

– Sim, estamos ampliando as salas e toda a escola. Há muitas crianças chegando e precisamos nos adequar.

– Mais espíritos chegando?

– Na verdade, estamos recebendo crianças vindas de outras Colônias.

– Por que, Nina?

– Há um projeto de intercâmbio entre as Colônias que foi implementado recentemente. Devido ao processo de regeneração que o planeta Terra está adentrando, muitas coisas serão adaptadas ou ampliadas.

– E para que serve esse intercâmbio?

– Estreitar nossos laços e desenvolver atividades evolutivas aceleradas para as crianças.

– Algo mudou?

– Muita coisa vai mudar, como o Jonas lhe disse no livro.

– Sim, o livro *Regeneração – Uma nova Era* é um sucesso absoluto Nina, e sou muito grato por ter sido o portador de tantas informações, a receptividade está ótima.

– Não agradeça, mereça.

– Espero estar fazendo tudo direitinho, Nina.

– Você está indo bem.

– É bom saber disso.

– O Lucas vai me ajudar na psicografia deste livro.

A Vida depois da Morte

– O Lucas?

– Sim, ele mesmo.

Naquele momento, eu ouvi uma leve batida na porta da sala em que estávamos.

– Entre. – disse Nina.

A porta se abre lentamente e para a minha grata surpresa era o Lucas

– Bons dias! – disse ele sorrindo para nós.

– Bom dia, Lucas. – apressei-me em responder, feliz com sua presença.

– Entre, Lucas. – disse Nina.

Lucas é um espírito muito amigo, sinceramente, tenho um amor incondicional por ele.

Muito bem-vestido, ele logo atende ao pedido de Nina, senta-se ao meu lado e coloca a sua mão direita sobre a minha, carinhosamente.

A emoção tomou conta de mim e fiquei paralisado, olhando para aquele lindo espírito sentado ao meu lado.

– O que houve, Osmar?

– Nada, Nina. É só admiração e amor mesmo.

Todos riram de mim...

– Deixe de bobagens, Osmar. – disse Lucas, tocando novamente a minha mão com carinho.

– Eu tenho uma grande admiração por você, Lucas.

– Eu também, Osmar.

– Como assim?

– Eu admiro muito a sua fé, sua coragem, e seu amor por tudo o que você faz. Sabe, Osmar, nós temos muita dificuldade em lidar com os médiuns.

– Como assim, Lucas?

– Osmar, a nossa maior dificuldade é a de nos aproximarmos dos médiuns, e conseguir transmitir a eles tudo o que precisamos para passar a vocês encarnados.

– Por que, Lucas?

– Vaidade, orgulho, soberba, sentimentos que são despertados em todos aqueles que ganham notoriedade. Logo que esses sentimentos se instalam no coração desses médiuns, somos intimados a nos afastar, o que é muito triste para nós, pois o objetivo inicial acaba se perdendo em meio a vaidade e falta de humildade de muitos médiuns.

– E como ficam esses médiuns?

– Como assim?

– Como ficam esses médiuns quando vocês se afastam deles?

– Normalmente sofrem por nossa ausência, acabam descrentes daquilo que experimentaram, ou se envolvem com espíritos oportunistas, que passam a nos representar nas psicografias, levando o médium ao ridículo literário.

– Orai e vigiai?

– Sim, Osmar, mas orar e vigiar não são suficientes. – disse Nina, entrando em nossa conversa.

– O que mais temos que fazer, Nina?

– Transformar-se.

– É verdade, do que adianta a vigília, se não modificar-mos as nossas atitudes, pensamentos e vontades.

– Pois é, Osmar. – disse Lucas.

– Aquilo que transmitimos a vocês têm objetivos. O médium, que é o receptor dessas informações, é o primeiro a dar exemplos. "Do que adianta a lição, se o aprendiz se mantém rebelde?"

– É verdade, Lucas. São esses os médiuns que se perdem?

– Sim. Tornam-se escritores e logo se acham celebridades. Deixam de lado o caminho percorrido, para chegar onde estão. Você se lembra da nossa conversa no livro *Acordei no Umbral*?

– Sim, lembro-me perfeitamente.

– É isso, se os ensinamentos não te modificam, é tempo perdido.

– Eu agradeço muito a todos vocês pelas oportunidades diárias que tenho para me modificar e transformar tudo ao meu redor.

– É por isso que estamos aqui reunidos com você. É por isso que as coisas boas acontecem em sua vida.

– Boa semeadura, excelente colheita. – disse Nina, olhando para mim.

– Sem palavras para agradecer por tudo o que vocês têm me ensinado, meus amigos. Agradeço, ainda, por permitirem que eu leve esses ensinamentos a muitas pessoas. Espero que essas palavras modifiquem os corações cansados, e atenda àqueles sedentos de evolução.

– Não agradeça, Osmar, escreva! – disse Lucas.

Naquele momento, eu fiquei um pouco preocupado e aproveitei para perguntar ao Lucas, uma coisa que é muito importante para mim.

– Lucas, posso te perguntar uma coisa?

– Claro que sim, Osmar.

– Por que há essa demora tão grande no meio espírita, em aceitarem tudo o que é óbvio na vida após a vida? Na relação dos espíritos encarnados para os desencarnados? Por que tanto preconceito, principalmente, com autores como eu, que escrevo coisas atualizadas da vida após a morte?

– Osmar, todo ser encarnado está em busca de algo.

– Concordo.

– Estando ele em busca de algo que não compreende, ele busca por aqueles que já compreenderam para lhe explicar, concorda?

– Sim, estamos em uma busca constante, seja ela espiritual, material, emocional, ou seja, estamos sempre procurando alguma coisa.

– Sendo assim, compreendes que estando encarnado você é um pedinte.

– Pedinte?

A **Vida** *depois da* **Morte**

– Sim, estás em uma busca constante, e mesmo sem perceber, pedes para que seus desejos sejam atendidos e que suas dúvidas sejam logo respondidas.

– Sim, concordo.

– A encarnação limita o espírito. Os campos magnéticos que envolvem o espírito encarnado são como barreiras invisíveis, que todo espírito precisa superar para descobrir-se como és em essência.

– Pode me explicar melhor, Lucas?

– Osmar, o grande desafio é aprender e evoluir. Todos os espíritos encarnados estão em linha ascendente evolutiva. Mesmo sem perceber, todos seguem essa trilha, esse caminho.

– Isso eu sei.

– Pois bem, a maioria das pessoas tem preguiça de estudar e aprender, e eu não as condeno, pois todos terão o tempo certo para atingir o solicitado pela evolução.

Viver é, sem dúvidas, a melhor opção. Tudo o que está plasmado no mundo físico tem propriedades evolutivas.

Aqueles que dedicam-se ao estudo sistemático, conseguem destaque em todos os campos da sociedade.

Aqueles que tem preguiça de estudar, seguem esses que muito estudaram, em seus pensamentos e doutrinas.

– Concordo com você, Lucas. Queremos o arroz pronto, não queremos cozinhar, muito menos plantar o nosso alimento.

– Assim está a humanidade. Alguns já se descobriram como espíritos que são, e se abrem para receber aquilo que estamos informando há bastante tempo; outros, se fecham em velhos livros, em velhos evangelhos, velhos ensinamentos e doutrinas, e não tem a menor vontade de mudar seus caminhos. Comodidade.

– É mais confortável, Lucas.

– É mais cômodo, Osmar.

– Pior que é mesmo, quanta coisa boa para fazer, quantos ensinamentos, e as pessoas preferem seguir aquilo que alguém disse há algum tempo. Sequer sabem, exatamente, quem foram, mas como fulano me segue, também vou seguir. Ah, fulano disse que é o caminho... vou seguir. Ah, fulano falou que é a verdade... vou seguir.

E, assim, caminha a humanidade.

– Sem revoltas, Osmar.

– Não estou revoltado. Na verdade, eu fico triste.

– Osmar, desde que o mundo é mundo as coisas são assim. Atualmente, em seu plano, determinados "doutrinadores" utilizam-se de técnicas emocionais, vibracionais e ilusórias para atraírem adeptos de suas seitas, a fim de extorquirem todo o dinheiro possível. Virou um grande negócio para os que se dizem "homens de Deus", mas que, na verdade, são a exteriorização do Anticristo.

– O que temos que fazer, Lucas e Nina?

*A **Vida** depois da **Morte***

– Já está tudo programado, não se turbe vosso coração; credes em Deus, credes também em mim. Na casa de meu Pai há muitas moradas... lembra?

– Sim, lembro-me.

– A cada qual, o fruto do semeio. Cuide daquilo que tens semeado, e verás que, no final, valeu a pena.

– Obrigado, Nina.

– Osmar, sois o único responsável por si mesmo. Ninguém é capaz de modificar o seu futuro, só você é o capitão de seu destino, portanto, segue semeando o amor, pois há sempre cheiro de rosas nas mãos daquele que entrega flores.

– Obrigado, Lucas, suas palavras são bálsamos de sabedoria em minha alma. Sem vocês, Nina, eu nem sei o que seria de mim.

Sofro muito como vocês sabem, por ser incompreendido e até julgado. Sei que isso é parte da imperfeição do meio em que vivo, mas fico triste quando alguém me aponta o dedo, julgando-me sem nem sequer saber o meu sobrenome.

– O mais puro foi julgado, maltratado, castigado, condenado e morreu na Cruz por todos vocês.

Sempre que te sentires assim, lembra-te das últimas palavras de Jesus antes de deixar o corpo físico.

– O que disse Jesus?

– "Pai, perdoa-lhes, pois não sabem o que estão fazendo".

– Obrigado, Lucas.

– Nós é quem agradecemos, Osmar. – disse Nina.

Refeito, após pequena pausa para reflexão, Nina volta a conversar conosco.

– Osmar, eu gostaria que você acompanhasse o Lucas até o Hospital do Dr. Franz, para que você comece a relatar tudo.

– Com imenso prazer, Nina.

– Vá com o Lucas e aproveite esse momento.

– Estamos indo, Nina. – disse Lucas, levantando-se da cadeira.

Levantei-me imediatamente também, e nos dirigimos à porta.

– Obrigado, Nina.

– De nada, Osmar.

Saímos da escola e começamos a caminhar em direção ao Hospital, o qual tem o nome do Dr. Franz.

Franz é o médico que dirige um dos hospitais da Colônia Espiritual Amor e Caridade, que tem seu nome.

É ele quem sempre vai ao Hospital Espírita Amor e Caridade (no plano físico), para realizar as cirurgias espirituais aos pacientes que procuram a nossa Casa.

Já viveu entre nós e foi muito famoso, pois foi Franz quem nos revelou a existência do fluido magnético animal.

As alamedas da Colônia Espiritual Amor e Caridade são floridas, há várias árvores com folhagens diferentes. Umas são lilás, outras amarelas, algumas roxas, e muitas flores.

No centro da Colônia há um imenso lago, e no meio

dele, um palco onde alguns músicos ficam tocando sinfonias para os espíritos que assistem sentados, descansando no extenso gramado após longas horas de trabalho. Esse lago é muito semelhante com os que existem em quase todas as Colônias.

Há muito trabalho em toda a Colônia. Como disse, há alguns hospitais, centros recreativos, galpões, colégios, prédios administrativos, e muito mais.

São locais onde os espíritos trabalham. É importante saber que nenhum espírito desencarnado fica sentado e descansando eternamente nos gramados das Colônias. Mesmo porque, não possuem mais corpos, e espírito não cansa.

Todas essas tarefas, e a explicação de como nos comportamos na vida diária (espiritual), estão relatadas no livro *Colônia Espiritual Amor e Caridade*.

– Estamos chegando, Osmar.

– Estou ansioso para ver o Franz.

– Ele também deve estar, venha! – disse Lucas, acelerando o passo e adentrando a recepção do lindo hospital.

O prédio é grande, e há na fachada um enorme letreiro, com letras douradas, que informam exatamente onde estamos: "Hospital Franz Anton Mesmer".

Eu estava extremamente ansioso para saber tudo o que seria revelado pelo Dr. Franz e pelo Lucas.

– Meu Deus, o que será que iremos aprender?

O que existe na vida após a morte?

> "
> *Há, na vida espiritual, tudo aquilo que estamos habituados na vida material.*
> "
>
> Osmar Barbosa

Os fluidos

Chegamos à recepção do hospital, e Lucas dirigiu-se ao extenso balcão que fica localizado na entrada.

– Oi, Lucas. – disse uma jovem muito simpática.

– Oi, Samira. Eu gostaria de falar com o Franz.

– Ele está te esperando na sala dele. Disse que você traria um escritor.

– É esse aqui. – disse Lucas, apontando o dedo indicador para mim.

– Seja bem-vindo, Sr. Osmar.

Me emocionei com a recepção amorosa.

– Obrigado, minha jovem, digo, Samira. Eu havia escutado o Lucas falar com ela.

– Venha, Osmar, vamos à sala do Franz. – disse Lucas, dirigindo-se à entrada lateral do hospital.

Afastei-me de Samira admirado com a sua beleza jovial.

Entramos no extenso corredor que dá acesso à várias salas.

Algumas são de atendimento, outras são enfermarias, almoxarifado, exames, triagem... essas eram as placas que identificavam as salas.

A Vida *depois da* Morte

Ao final do corredor pude ver uma enorme porta centralizada na parede final.

Acima da porta uma placa indicava: "Sala Dr. Franz".

Suavemente, Lucas dá algumas pancadas à porta, e logo pudemos ouvir uma voz forte com um sotaque alemão.

– Entrem.

Entramos, Lucas e eu.

Havia uma grande mesa de carvalho, onde sentava-se Franz. Em frente a ela, quatro cadeiras confortáveis. Atrás da mesa, havia uma imponente estante com diversos livros, e alguns objetos que harmonizavam a decoração do ambiente.

Do lado direito da sala, encontrava-se uma pequena escrivaninha com alguns papéis soltos por cima, um tinteiro, um mata-borrão, e alguns objetos que pareciam ser de cristal. Tinham, também, canetas daquelas bem antigas sobre o tinteiro.

Já do lado esquerdo, via-se um conjunto de divãs e poltronas iguais, e no centro da sala, um tapete redondo e uma pequena mesa com um jarro de água e duas taças.

Um vaso de flores enfeitava o lugar.

Na parede, alguns quadros antigos com paisagens de Paris e cidades Europeias.

E lá estava ele, sentado, esperando por nossa aproximação.

Eu sempre me emociono nas psicografias, na maioria delas termino em lágrimas.

Logo que nos aproximamos da mesa, o Dr. Franz colocou-se de pé para nos cumprimentar.

Estendi a minha mão trêmula e o cumprimentei.

– Sentem-se, rapazes. – disse Franz, serenamente.

Nos sentamos sem nada falar.

– Sejam bem-vindos, rapazes. A Nina conversou comigo sobre seu novo projeto, Osmar.

– Sim, doutor, eu gostaria de escrever sobre como é a vida após a morte.

– Por que quer escrever sobre isso?

– Estamos passando por um momento muito difícil na Terra. Penso que posso ajudar muitas pessoas trazendo essas informações.

– E você acha que elas vão acreditar?

– Sinceramente?

– Sim.

– Eu acho que não.

– Então, por que quer falar sobre isso?

– Elas podem até não acreditar, mas eu tenho a obrigação de revelar tudo o que já aprendi e tenho certeza ser a verdade. Tenho que fazer o meu papel, é isso que desejo, doutor.

Eu sei que não sou o primeiro a trazer essas informações e nem serei o último, mas serei uma voz, uma voz sincera, que pretende acalmar os corações aflitos em meio a tantas perdas nesse momento.

São milhares de pessoas desencarnando diariamente, deixando corações dilacerados e sedentos de respostas. É meu papel como escritor e médium, buscar trazer essas informações o mais rápido possível.

Doutor Franz, nós precisamos de mais amor na Terra. É muito triste o que estamos experimentando. Estamos todos doentes, sem entender muito bem toda essa prova.

– É um belo gesto o seu, meu rapaz.

– Obrigado!

– Antes de te dar as primeiras informações, devo alertá-lo para alguns fatos.

– Pois não, doutor.

– A humanidade não costuma aceitar muito bem, informações ou algo que não estejam em seus padrões.

– Como assim, doutor?

– O que iremos revelar, é o que acontece com todos os espíritos, após o acontecimento biológico, destinado a todos os corpos perecíveis.

O corpo físico já nasce morrendo, e vocês são incapazes de aceitar ou mesmo compreender isso.

– Como assim, doutor?

– O corpo já nasce predestinado à morte. A contagem de anos que vocês dizem ser aniversários, nada mais são, do que tempo contado para a morte biológica.

– Sim, concordo com o senhor. Nascemos para morrer e morremos todos os dias para, novamente, renascer.

– Isso mesmo, morres todos os dias, para renascer morrendo novamente. Cada segundo vivido é tempo a menos na carne, e maior aproximação com o espírito.

– Sim, é isso mesmo. É isso que precisamos informar.

– Portanto, todos os que estão lendo este livro terão que ter, em primeiro lugar, consciência de que são espíritos, e que o corpo o qual habitam neste momento, terá menos tempo de existência após a leitura desta linha.

E o tempo, Osmar, ele não para em nenhum momento, nem por um segundo. Nada e nem ninguém consegue interferir ou mudar as Leis Naturais.

– Essa é uma Lei Natural?

– Sim, estais envoltos em diversas Leis, e uma delas é o nascimento e a morte do corpo físico. Nascer, renascer e progredir sempre, essa é a Lei.

– Todos estamos intrinsecamente ligados a essa Lei, doutor?

– Sim, tudo o que existe, está nessa Lei: nasce, cresce, reproduz, evolui e morre.

– E os que não reproduzem?

– Os que não reproduzem outro ser?

– Sim.

– Reproduzem algo que está em seu Ser. Que terá uma finalidade, como iremos lhe mostrar.

– Como assim?

A Vida depois da Morte

– Perdoe-me a intromissão, mas esse não é o tema deste livro, Osmar. Vamos nos ater ao assunto da vida após a morte. – disse Lucas, entrando em nossa conversa.

– Lucas, eu vou só passar um ensinamento sobre esse tema ao Osmar e aos seus leitores.

– Fique à vontade, doutor e perdoe-me. – disse Lucas.

– Não tens que pedir desculpas, meu nobre amigo.

– Osmar, todos os espíritos estão envoltos em um grande projeto. Um projeto divino, que busca aperfeiçoar a criação. Todos os espíritos estão em evolução. Aquele que não reproduz fisicamente outra criatura, ou seja, aquela mulher que não tem filhos, ou o homem que não procriou, não estão afastados do projeto Maior, pois todos integram essa grande engrenagem chamada evolução, e cada um contribui com aquilo que tem de melhor.

Vou dar um exemplo, para que você entenda o que estou explicando.

– Agradeço, Dr. Franz.

– O que seria das freiras que não tiveram filhos, não se casaram, porém, seguiram alguma doutrina cristã de amor ao próximo, e viveram a vida inteira enclausuradas orando e glorificando ao Pai Maior? Qual seria o papel desse espírito na Lei Natural?

– Não tinha pensado nisso.

– Cada um contribui e participa da Lei Natural, com aquilo que de melhor tem em seu coração, em seu propósito de vida. Lembre-se, os padres não se casam e fazem suas contribuições para a humanidade.

– Agora eu entendi perfeitamente, doutor. Você poderia nos explicar o que é uma Lei Natural?

– Sim, claro. Quando o Criador criou todas as coisas, junto a elas, Ele criou também, as Leis Naturais. Alguns chamam de Lei Maior. Na verdade, é tudo a mesma coisa.

São Leis que mantêm tudo em equilíbrio. Você poderá acompanhar tudo o que acontece com o espírito e com o corpo físico, após o momento da morte, e verá como tudo é processado. Poderá compreender e relatar como essas Leis operam sobre a natureza, sobre o corpo físico e sobre os corpos espirituais.

Tudo isso chamamos de fluidos. São eles os condensadores corpóreos e espirituais. São os fluidos que mantêm o equilíbrio de todas as coisas.

Os fluidos são elementos que, condensados, estabelecem a harmonia em toda a existência.

Tudo é fluido, Osmar. Eles estão em todos os lugares e em todas as coisas.

Fluidos são energias e energias geram fluidos, assim, tudo se equilibra e evolui. Uns interligados aos outros, gerando o equilíbrio necessário a todas as formas, espécies, natureza e vidas.

Entendeu?

– Perfeitamente, Dr. Franz.

A **Vida** *depois da* **Morte**

– O que iremos te mostrar a partir de agora, é o que todos vocês experimentarão ao deixar a encarnação, ao deixar o corpo físico, após o acontecimento biológico da morte.

– Estou ansioso para aprender.

– Lembre-se que a morte é simplesmente um acontecimento biológico, intrínseco a todos os seres que habitam os planetas.

– Certo.

– O Lucas vai levá-lo ao plano físico, onde vocês poderão acompanhar os últimos dias de alguns irmãos que estarão aqui conosco, dessa forma conseguiremos mostrar todo o processo para você.

– Estou ansioso para revelar tudo isso.

– Escreva com calma, são informações muito importantes, e sendo elas importantes, devem ser escritas e lidas com muita atenção, para que nenhuma dúvida paire sobre tudo o que iremos revelar.

– Agradeço a vocês por mais esta oportunidade.

– Não agradeça, Osmar, escreva!

– Escreverei, Dr. Franz.

– Deus te abençoe, Osmar.

– Amém...

– Leve-o, Lucas, para que tudo lhe seja revelado.

– Venha, Osmar, vamos...

Saímos daquela linda sala, após nos despedirmos daquele iluminado espírito.

Eu estava muito emocionado e feliz, ansioso para escrever o que acontece conosco na vida depois da morte.

O que eu veria?

Como é a morte?

O que sentimos?

Para onde vamos?

Quem nos recebe?

Quem sou eu, espiritualmente?

Minha cabeça estava a mil por hora...

Caminhávamos em direção à saída do hospital, quando encontramos com Samira novamente, ela andava no mesmo corredor que a gente, mas em sentido contrário.

Ao aproximar-se, ela logo foi nos cumprimentando mais uma vez.

– Como foi a reunião, Lucas?

– Foi ótima, Samira.

– Para onde vão agora?

– Vou deixar o Osmar em casa. E você?

– Estou indo para o meu descanso e lazer, terminei agora o meu plantão.

– Vá e aproveite. – disse Lucas.

Samira despediu-se de nós com ternura, e se dirigiu ao final do corredor onde, também, há uma porta de saída.

Eu fiquei curioso com aquilo, como assim, plantão no mundo espiritual?

Curioso que sou, fui logo perguntando ao Lucas sobre o que é um plantão na vida espiritual.

*A **Vida** depois da **Morte***

– Lucas, eu posso te perguntar uma coisa?

– Sim, claro!

– O que seria plantão?

– Plantão aqui na vida espiritual?

– Sim, por que Samira disse que iria descansar, se ela é um espírito? Como assim, descansar?

– Em primeiro lugar, você precisa compreender que não há um idioma diferente do qual vocês usam na vida corpórea, do que é utilizado aqui na vida espiritual.

Em segundo lugar, você precisa compreender, também, que assim como na vida física, aqui nas Colônias nós temos horário para tudo. Não somos escravos, e muito menos, turistas.

– Você pode me explicar melhor?

– Venha comigo. – disse Lucas, levando-me para um prédio à direita do Hospital do Dr. Franz.

Saímos do hospital e voltamos a caminhar na larga alameda de Amor e Caridade.

Lucas caminhava rapidamente, e eu o seguia com certa dificuldade.

Chegamos a um prédio esverdeado, logo na entrada tinha uma placa enorme, e nela, estava escrito: "Logística".

Impressionei-me com o movimento de espíritos entrando e saindo daquele lugar.

Havia muitos espíritos ali.

Repentinamente, Lucas parou a nossa caminhada em frente ao prédio, e ficou parado ali me esperando, já que eu estava tentando acompanhá-lo.

Ofegante, o alcancei.

– Veja, Osmar, esse é o setor logístico da nossa Colônia. Este edifício chama-se "prédio da logística".

– É, eu li ali naquela placa. – disse, apontando para a placa acima da construção.

– Todas as Colônias têm um prédio como esse. Venha, vamos entrar.

Entramos e nos dirigimos à primeira sala à esquerda, onde havia uma parede de vidro, e um pouco abaixo, estavam alguns espíritos sentados à mesas, também de vidro, atendendo à várias filas de outros espíritos. Alguns estavam uniformizados, e outros vestiam túnicas brancas que lhes cobriam todo o corpo.

Lucas parou ao meu lado, e ficamos olhando a movimentação frenética que acontecia naquele lugar.

– Aqui, Osmar, é o local onde cada espírito que vive na Colônia, organiza a sua agenda de trabalho nos diversos setores e nas dependências da Colônia.

– Você pode me explicar melhor?

– Sim. Todos os espíritos que conseguem libertarem-se do processo encarnatório, procuram algo para fazer na Colônia.

A Vida *depois da* Morte

Como você sabe, as Colônias são imensas cidades espirituais, onde vivem os espíritos em evolução. Só evoluímos quando auxiliamos outros espíritos a evoluírem também, é regra básica para a evolução.

Essa é a regra, esse é o salário da vida eterna.

– E se eu não quiser trabalhar? Não quiser ajudar ao próximo?

– Você não viverá em uma cidade espiritual.

– Eu não tenho opção?

– Tem.

– Então, se eu não quiser ajudar, se eu quiser ficar por aqui passeando, andando à toa, vendo os amigos, visitando outros lugares, enfim, ficar sem fazer nada, só descansando, o que pode acontecer?

– Em primeiro lugar, ninguém vai te "dar bola", você não vai conseguir ficar de conversa "fiada" com quem está buscando a própria evolução. Em segundo lugar, quem não quer evoluir não vem para cá, na verdade, para nenhuma cidade espiritual. E, terceiro, o espírito não cansa, por isso, não precisa de descanso.

Osmar, enquanto você não estiver pronto, nós não te convidaremos para viver entre nós.

– Mas, você falou "bom descanso" para a Samira.

– Quando falamos descansar, é descansar a mente, desligar-se daquela tarefa que acabamos de realizar, não ficar pensando mais no compromisso daquele dia. Descansar significa passear, visitar amigos, ir a lugares diferentes, visitar parentes, e tudo o mais.

– Quer dizer, que para eu fazer tudo aquilo que te falei acima, eu preciso ter um emprego aqui?

Lucas começou a rir de mim.

Envergonhado, calei-me.

– Desculpe, Osmar, você é muito engraçado.

– Eu, engraçado?

– Sim. Emprego... (risos)

– Desculpe, Lucas.

– Osmar, todos estão em um enorme projeto evolutivo, como lhe disse o Franz. Todos querem muito uma oportunidade de serviço ao próximo. Quando você chegar aqui, a primeira coisa que você vai pedir é uma oportunidade para servir, e muito mais. Fique calmo, eu vou te mostrar tudo neste livro.

Todos os que você vê agora, estão preparados para desempenhar as tarefas que essa Colônia precisa, para seguir amparando, auxiliando e amando a todos aqueles que aqui chegam ou estão de passagem.

– Obrigado, Lucas.

– Não agradeça, escreva.

– Lá vem vocês novamente com essa frase.

– Escreva, Osmar.

– Posso fazer uma última observação?

– Sim.

A Vida depois da Morte

– Eu estou vendo que todos os que são atendidos pegam uma folha de papel e um crachá.

– Sim, aqui somos direcionados para os setores, estamos aptos a auxiliar. Assim, eles pegam um crachá, e aquele papel que você vê, na verdade, é uma ficha que deve ser entregue ao responsável pelo setor em que se destina esse trabalhador. Tudo é muito organizado por aqui, Osmar.

Há um controle rigoroso de todos aqui.

– E qual é a escala?

– Como assim, escala?

– Quantos dias de trabalho e quantos de descanso?

– Isso é combinado com você. Você se voluntaria para trabalhar em tal setor por tantas horas, por tanto tempo. Aquilo que você aprendeu na Terra, é colocado em prática aqui. Se você foi médico, vai trabalhar como médico, se você foi um escritor, vai trabalhar como escritor, ou naquilo que você mais gosta.

Nós temos médicos que estão aqui e que trabalham na faxina, por exemplo. Você não é obrigado a exercer a profissão que exercia na vida terrena. Tudo aqui é voluntário, sendo assim, todos estão sempre de bom humor.

– Que legal, Lucas.

– Você vai poder ver isso mais de perto, quando acompanharmos nossos irmãos que ainda estão encarnados.

– Que bom, Lucas.

– Venha, vamos ao armazém, eu quero te mostrar uma coisa.

Caminhamos para outro setor do mesmo prédio. O lugar que eles chamam de armazém, nada mais é do que algumas salas imensas, onde só há uma mesa ao centro, e nas laterais, arquibancadas feitas de cimento, eu acho.

– Que lugar é esse, Lucas?

– Esse é o Armazém. Venha, vamos nos sentar e esperar um pouco.

Descemos os degraus da arquibancada e sentamo-nos no último, na parte térrea do grande salão.

O lugar estava vazio.

A mesa, ao centro, era branca, e só tinha uma cadeira.

Foi quando começaram a chegar vários espíritos.

Eles nos cumprimentavam com um gesto de cabeça, e posicionavam-se sentados, um ao lado do outro, nos degraus da arquibancada.

Era como se fosse uma quadra de basquetebol, sem as cestas e sem marcas no chão. Mas, era tudo muito bonito e branco.

Chegaram mais de sessenta espíritos, e se sentaram.

O silêncio era total, e todos estavam bem concentrados.

Moças, rapazes, senhoras, senhores, todos muito bem-vestidos.

Foi quando vi adentrar ao local, um espírito que já havia conhecido quando fiz a psicografia do livro Joana D'Arc.

A **Vida** *depois da* **Morte**

A princípio, eu me emocionei muito quando vi aquele lindo espírito chegando, era nada mais e nada menos que Porfírio.

A história dele está relatada no livro que citei acima. Emocionado, eu olhava para ele querendo receber pelo menos um cumprimento, tamanha era a minha felicidade com aquele repentino encontro.

– O que houve, Osmar?

– Estou muito emocionado em ver o Porfírio novamente.

– Ele certamente também está.

– Sequer me olhou, Lucas.

– Ele tem uma tarefa a realizar, espere, seja paciente.

Porfírio dirigiu-se à mesa, colocou alguns papéis sobre ela, e logo começou a falar.

Eu pude ver a alegria de todos os espíritos que estavam presentes àquele encontro.

Seus olhos brilhavam pela felicidade daquele momento.

– Por que estão todos tão felizes, Lucas?

– Pelo convite que receberam de Porfírio, e pela oportunidade de servir.

– Mas, o que houve?

– Olha, Osmar, fique quieto e observe.

– Calei-me, e fiquei atento.

Porfírio toma a palavra.

– "Meus queridos e amados irmãos e irmãs, gostaria de agradecer a todos pela resposta imediata a minha solicitação. Sinto-me lisonjeado em partilhar com vocês, meus amados irmãos, essa oportunidade que nos foi oferecida pela diretoria espiritual de nossa amada Colônia.

Hoje, às 20 horas no horário terreno, iremos auxiliar os nossos irmãos em desespero, mais uma vez. Todos já sabem o que fazer, partiremos ao final deste encontro para o Hospital Espiritual Amor e Caridade, localizado no plano terreno, onde iremos auxiliar os irmãos médicos que aqui estão, na realização das cirurgias espirituais. Iremos, também, trabalhar nas câmaras de passe e de refazimento perispiritual.

Alguns de vocês reencontrarão familiares na fila do amparo.

Lembrem-se que as comunicações mediúnicas ficam somente liberadas aos médiuns que servem a seus mentores, os demais não devem comunicarem-se neste momento.

Iremos em um total de sessenta e três, os que receberem a ficha verde, irão para a sala verde, os da ficha azul, para a sala azul, e os demais, para o centro cirúrgico.

Nosso trabalho é assistir, harmonizar, amparar, auxiliar e afastar possíveis obsessores que tentarem adentrar ao hospital.

Na porta de entrada, nossos guardiões cuidarão de nossa segurança, por isso, não se preocupem com nada.

Realizem a tarefa solicitada por nossa querida Mentora, e logo ao término, ouçam o som do chamado ao reagrupamento, para que juntos possamos retornar à nossa Colônia.

A Vida depois da Morte

Esse é mais um dia de trabalho edificante para todos nós, não desperdicemos essa oportunidade de serviço.

Alguma dúvida?"

Todos permaneceram calados e felizes.

E o meu coração disparado de tanta emoção.

Que lindo tudo aquilo!

– "Venham, peguem seus cartões e dirijam-se ao veículo de transporte que nos levará ao Hospital Espiritual Amor e Caridade, no plano terreno."

Um a um, todos foram se levantando e pegando seus cartões, e logo que pegavam dirigiam-se à porta principal, que dá saída àquele armazém, como chamam o local.

Eu estava ali sentado e presenciando como todos eles são úteis ao plano maior.

Pude ver que aquela felicidade estampada naqueles rostos, era, na verdade, o amor se expressando na sua forma mais divina.

Deus, como você nos ama...

Lucas percebendo a minha emoção, colocou o seu braço direito sobre o meu ombro e me consolou.

– Viu, Osmar, ninguém quer ficar parado aqui, tem muita coisa para fazer, temos muitos irmãos precisando de ajuda, seja ela no plano físico, seja no plano espiritual.

Há muitos hospitais no plano terreno, que imploram pelo amparo e auxílio dos espíritos que estão aptos ao trabalho, e que necessitam dessas tarefas para aperfeiçoarem-se.

– É sempre assim, Lucas?

– Sempre assim, o quê?

– Sempre que há trabalho na Casa Espírita vocês se organizam para ir nos ajudar?

– Sim, em toda reunião séria, há uma falange de luz a vos iluminar.

– Meu Deus!

Comecei a chorar.

Coloquei a minha cabeça sobre os meus joelhos, e não contive as lágrimas de felicidade em poder estar ali, presenciando tudo aquilo.

Lucas acariciava as minhas costas, como um amigo que sente a dor do outro.

Alguns minutos se passaram, eu estava muito emocionado, foi quando Lucas me pediu para levantar a cabeça e olhar à minha frente.

– Olha, Osmar, olha! – insistia ele.

Levantei os meus olhos lentamente, e vi que à minha frente estava Porfírio, de pé e sorrindo para mim.

Eu não poderia reagir de outra forma.

Levantei-me rapidamente e me joguei nos braços do iluminado espírito.

Porfírio abraçava-me com ternura, até que disse:

– Que saudade, meu amigo!

As lágrimas só aumentavam em minha face.

Alguns espíritos se aproximaram, e olhavam para mim com ternura.

*A **Vida** depois da **Morte***

Envergonhado, me contive nos braços de Porfírio.

– Não fique assim, Osmar. – dizia ele.

Lucas estava em pé ao nosso lado, e sorria de alegria por ter me proporcionado aquele encontro.

– Osmar, cumpra sua missão, leve nossas palavras para todos os corações possíveis. Diga a todos que a vida depois da vida, é uma surpresa que todos experimentarão com alegria. Que o nosso amor por todos os que estão em provas e expiações é muito grande, e que enquanto for permitido, nós estaremos ao lado de todos vocês.

– Porfirio, muito obrigado por tudo!

– Não agradeça, escreva.

– Você também...

Todos rimos...

– Agora eu tenho que ir meu amigo, leve o meu abraço a todos os operários de Amor e Caridade, diga para que sigam firmes no propósito de amar.

Só o amor é capaz de vos trazer para perto de nós.

– Fique tranquilo, Porfirio, eu darei o seu recado para todos.

– Agora temos que ir, não podemos nos atrasar.

– Obrigado, meu amigo.

– Leve-o, Lucas. Que tudo seja revelado.

– Deixa comigo, Porfírio. – disse Lucas, me puxando pelo braço.

Saímos daquele lugar rapidamente, pois todos já haviam saído para mais uma tarefa no Centro Espírita.

– Agora, eu vou te deixar em casa, e depois, nos encontraremos novamente para continuarmos o nosso trabalho.

– Obrigado, Lucas. Eu estava mesmo muito cansado.

Lucas deixou-me sentado em meu escritório, prometendo que muito em breve, nos reencontraríamos.

Os dias tornaram-se longos para mim...

Como é bom fazer o que eu faço, como é gratificante as transformações que promovo em mim todos os dias...

É dolorosa a separação da alma e do corpo?

"

*Não; o corpo quase sempre sofre mais durante
a vida do que no momento da morte; a alma
nenhuma parte toma nisso.
Os sofrimentos que algumas vezes se experimentam
no instante da morte são um gozo para o Espírito,
que vê chegar o termo do seu exílio. Na morte natural,
a que sobrevém pelo esgotamento dos órgãos,
em consequência da idade, o homem deixa a vida
sem o perceber: é uma lâmpada que se apaga
por falta de óleo.*

"

Allan Kardec

"O Livro dos Espíritos" - questão 154

A morte

Passados dois dias, Lucas me acorda as três horas da madrugada para continuarmos esta psicografia. Os espíritos têm por hábito esse horário, segundo eles, é a melhor hora para as comunicações, porque a maioria das mentes estão desdobradas e fora de seus conscientes naturais. Assim, levantei-me e voltamos a este livro.

– Bom dia, Lucas!

– Bom dia, Osmar, vamos ao trabalho?

– Sim, deixa eu me preparar e seguir para o escritório.

– Te esperarei lá.

– Já estou indo.

Levantei, fiz a minha primeira higiene pessoal, e após um café bem forte, dirigi-me ao local onde realizamos as psicografias.

Ao chegar, me preparei e logo o Lucas chegou também.

– Vamos, Osmar?

– Sim, Lucas.

– Venha, eu vou te desdobrar e seguiremos juntos para um hospital, onde estão nossos convidados a este livro.

– Certo.

Em desdobramento chegamos a um hospital no plano físico.

A Vida depois da Morte

Entramos pela porta principal do lugar, ainda era madrugada e todos estavam dormindo, exceto uma enfermeira, que olhava as mensagens em seu celular, sentada em uma cadeira no canto da UTI.

Havia oito pacientes nas macas, todos intubados.

Eu ouvia claramente os apitos daqueles aparelhos, e as respirações dificultosas dos pacientes.

Meu coração ficou apertado naquele momento.

– Venha, Osmar. – disse Lucas, aproximando-se de um leito onde estava um senhor.

Ele parecia estar em estado gravíssimo, pois estava pronado, como os médicos chamam quando o paciente é colocado de barriga para baixo. Esse procedimento é feito quando o paciente tem muita dificuldade para respirar, é uma tentativa de melhorar a condição complicada do doente.

– Lucas, essas pessoas estão com COVID?

– Sim, todos os que estão aqui estão com o vírus.

– Eu posso falar um pouco sobre a pronação?

– Sim, claro! Esclareça os nossos leitores.

– Obrigado, Lucas.

– O que significa "Pronar o paciente"?

É um termo usado em hospitais, principalmente em UTI's, e que tem sido frequentemente usado atualmente por conta da infecção pelo coronavírus. E o ato de "pronar o paciente", ou de colocá-lo em "posição prona".

Os pacientes que ficam em UTI's e sob respiração artificial (intubados), inclusive nos casos mais graves da COVID-19, ficam deitados 24h por dia, frequentemente, por vários dias.

Ficam, portanto, muito tempo sem se mexer, e em contato direto com o colchão. Para que não desenvolvam úlceras por pressão no corpo, esses pacientes precisam ser mudados de posição, a cada 2ou 3 horas, ou seja, ficam deitados de lado e em decúbito dorsal (com as costas no colchão).

Uma outra opção seria deitar o paciente em posição prona, ou seja, virado de bruços, com a parte anterior do corpo junto ao colchão.

Essa posição, no entanto, não é comum em pacientes sedados e intubados, pois atrapalha a sua manipulação pelos profissionais da saúde, e não permite que a cabeceira do paciente seja elevada. Pode, ainda, acarretar fortes dores musculares e articulares quando o paciente acordar.

Não se sabe ainda, exatamente, o porquê dessa melhora, mas o fato de deitar o paciente de bruços, permite a parte posterior dos pulmões se expandirem com mais propriedade, pois há diminuição do inchaço, (pela ação da gravidade, o 'inchaço cai' para a parte da frente dos pulmões). Além disso, o "peso do pulmão", não atrapalharia a parte posterior, diminuindo a pressão nessa região.

Como normalmente a parte posterior dos pulmões apresenta um volume maior de ventilação, a troca gasosa seria facilitada e o paciente melhoraria os níveis de oxigenação do corpo, fato esse observado em cerca de 70 a 80 por cento dos pacientes com SDR (Síndrome do Desconforto Respiratório).

– Muito bem, Osmar.

– Eu acho importante informar, Lucas.

– Você está certo.

– Quem é este senhor?

– O nome dele é Carlos. Carlos Alberto. Tem 59 anos e vai desencarnar.

– Ele não vai vencer a COVID?

– Não.

– Deus tenha piedade.

– Deus tem, Osmar.

– Neste capítulo nós iremos mostrar o desligamento fluídico do corpo físico/corpo espiritual. Mais adiante iremos mostrar a continuidade do processo desencarnatório, está bem?

– Sim, Lucas. Eu só tenho a aprender e agradecer.

– Então, vamos em frente.

A primeira coisa que todos vocês têm que saber, é que nada está ao acaso, para todos os espíritos encarnados há um projeto encarnatório, e desencarnar faz parte dele.

– Certo.

– Somente alguns espíritos encarnados têm a capacidade de autodesligamento, ou seja, de desligar os laços fluídicos que os prendem ao corpo físico na hora da morte biológica.

Vale ressaltar que a morte é, em primeiro lugar, um acontecimento biológico.

– Certo, Lucas.

– Prosseguindo:

A grande maioria dos espíritos encarnados precisa de ajuda e amparo, pois o processo de desligamento é difícil para vocês encarnados, porque ainda estão muito ligados "vibratoriamente" à materialidade e ao planeta.

Por esse motivo é que eu te levei ao Armazém, você lembra?

– Sim, perfeitamente.

– Você viu que está tudo organizado?

– Sim. Sem que possamos imaginar, vocês estão à nossa frente sempre.

– Pois bem. Lá na Colônia, o Porfírio é o responsável por gerenciar as equipes especializadas no desligamento.

– Existem essas equipes?

– Você não viu uma equipe do plano espiritual, que estava indo ao Hospital Espiritual Amor e Caridade para ajudar no trabalho?

– Sim, vi perfeitamente.

– Pois bem, temos várias equipes que auxiliam vocês na hora do desligamento terreno.

– Certo, Lucas.

– É muitíssimo importante ressaltar também, que essas equipes só podem ser acionadas por seu merecimento.

– Como assim?

A **Vida** *depois da* **Morte**

– Lembre-se sempre da semeadura e da colheita.

– Sim, claro, eu preciso merecer.

– Exato, você precisa merecer. Há muito sofrimento, Osmar, quando nós não temos a permissão para auxiliar no desencarne daqueles que amamos, e que ainda estão nas experiências terrenas.

– Imagino.

– Mas, eu vou te mostrar tudo, fique tranquilo.

– Obrigado, Lucas.

– Fique atento agora.

Lucas me puxou pelo braço para ficarmos no canto daquela sofrida sala.

Uma forte luz branca invadiu o lugar, e eu pude ver sair dela, seis espíritos, todos muito iluminados.

Havia duas senhoras, dois senhores e dois jovens.

As senhoras aproximaram-se de Carlos, e uma delas, começou a acariciar sua cabeça.

A outra senhora estava ao lado dela, repetindo o gesto e acariciando os pulmões de Carlos.

Os rapazes e os senhores estenderam seus braços, direcionando luz para o paciente em questão.

O ambiente encheu-se de luz, como eu nunca tinha visto.

Alguns minutos se passaram sem que eles dissessem nada.

Após algum tempo, voltaram novamente para a luz, e sumiram.

– Quem são, Lucas?

– Familiares.

– Que lindo!

– São, a mãe, a avó, os avôs e dois tios.

– O que eles fizeram?

– Osmar, quando ocorre o desencarne há uma preparação de todo o ambiente. Normalmente, uma equipe vem para o hospital, e outra, para o ambiente familiar. Essas visitas são feitas para a preparação magnética e a preparação do desencarne.

Alguns de vocês percebem uma pequena melhora para a consumação das últimas tarefas, e para o último contato com seus entes queridos.

– Realmente, quase sempre a pessoa melhora, e logo depois, morre.

– Há uma outra informação muito importante que você precisa relatar neste livro.

– Vamos em frente, Lucas.

– Existem vampiros, obsessores, espíritos malfazejos, Eguns, equipes trevais, e uma infinidade de espíritos errantes e vagantes, que ficam em verdadeira vigília a fim de extrair do desencarnado, seus últimos fluidos vitais.

– Meu Deus!

– Aqueles espíritos, ou melhor, familiares que você viu, são os espíritos que estão preparando Carlos para sua partida da vida terrena.

Há junto deles, uma equipe de guardiões ou protetores,

A **Vida** *depois da* **Morte**

como queiram chamar, que acompanham todo o processo, para que os vampiros não tenham êxito na tarefa.

Lembrando sempre que tudo é merecimento.

Existe uma verdadeira proteção, para que tudo seja cumprido de maneira com que todos se alegrem e não sofram.

Quero te informar, também, que esses familiares que estão preparando o desencarne do Carlos Alberto, foram treinados e tiveram que estudar muito para realizar essa tarefa, que é supervisionada por equipes especializadas existentes em todas as Colônias.

Você não vai chegar à vida espiritual e ficar esperando o momento para vir buscar quem você ama. Primeiro, você terá que merecer isso, e segundo, se preparar muito.

– Compreendo, Lucas,

– Tudo é esforço, dedicação, estudo e amor, Osmar.

– Certo. E, para onde irá o Carlos?

– Para a nossa Colônia, já está tudo preparado para recebê-lo.

– Que legal, Lucas.

– Quero ressaltar, ainda, que o fato de você ser médium, trabalhar em um Centro Espírita, e fazer caridade, não te habilita para essa oportunidade.

– O que eu preciso fazer para merecer isso, Lucas?

– Amar a todos, sem distinção.

– E, o caso do Carlos, ele amou o suficiente?

– Assim que for possível, irei relatar a você a vida desse

irmão.

– Nossa, que legal!

– Vamos terminar aqui, depois eu te mostro tudo.

– Combinado, Lucas.

– Agora, vamos para outro hospital.

– Vamos.

Naquele momento, fui levado a outro hospital pelo Lucas. Na verdade, outra UTI, onde havia três pacientes na mesma situação, ou seja, intubados com a COVID, todos em estado grave.

Nos aproximamos do leito de uma mulher de, aproximadamente, 50 anos.

Loira, de pele clara e muito magra.

Não havia nenhum profissional de saúde naquele ambiente.

– Esta é Marta. – disse Lucas.

– Ela está bem pior que o Carlos. – comentei.

– Sim, seu estado é gravíssimo.

– O que iremos observar aqui?

– Venha, fique aqui ao meu lado.

Nos afastamos do leito hospitalar à espera de espíritos – pensei.

Naquele momento, fomos atraídos para o Umbral.

Aquele leito estava em meio ao lamaçal do Umbral.

Eu vi vários espíritos sentados ao lado de Marta, e confesso que me assustei.

– O que houve, Lucas?

– É aqui que ela vai acordar.

– Meu Deus, o que será que ela fez para merecer isso?

– Eu vou lhe mostrar.

– Eu conheço bem esse lugar, Lucas, e confesso que nunca gostaria de passar por aqui. Imagina desencarnar aqui...

– Só vem para cá aqueles que merecem estar aqui, aqueles que estão em sintonia com esse lugar. Nesta psicografia não iremos relatar sobre a vida no Umbral, mas você poderá relatar como o desenlace se processa nessa região.

– Sou eternamente grato por essa oportunidade, Lucas.

Naquele momento, pude ver que cinco espíritos estavam à espreita, esperando pela morte de Marta.

– Lucas, todos os que iremos acompanhar irão morrer pela COVID?

– Sim, todos os pacientes que iremos mostrar estão desencarnando com o vírus.

– Por que a COVID, Lucas?

– Foi o programado na encarnação, como já te relatei.

– Perdoe-me, eu havia esquecido. Mas, posso te fazer uma outra pergunta?

– Sim.

– Por que a COVID?

– Como assim, por que a COVID?

– Por que essa doença chegou matando tanta gente?

– Está no programa da encarnação de vocês.

– Nós escolhemos isso?

– Vocês plasmaram isso.

– Como assim, plasmamos?

– O Universo devolve a vocês, tudo o que plasmam a ele. Essa é a Lei.

– Leis Naturais?

– Sim, quando o Criador criou este plano, e todos os planos para a encarnação dos espíritos, Ele deixou Leis Universais, essas Leis são o equilíbrio para a evolução de todos. Vocês vivem em universos fluídicos, portanto, tudo o que mandam para o Universo, ele vos devolve.

Sendo assim, no momento exato em que todas as mentes encarnadas desviaram-se desta Lei Natural, o Universo então plasmou exatamente o que vocês estão vivendo agora. Quando muitas mentes entram em harmonia com a desgraça, ela se consolida.

– Então, fomos nós que fizemos isso?

– Sim, tudo o que vos cerca é resultado das mentes coletivas. Isso chama-se progresso, Osmar.

Quando vocês pedem coisas boas, o Universo vos devolve coisas boas, quando vocês emanam coisas ruins, ele vos devolve coisas ruins. Simples assim...

– Quando foi que erramos?

– Quando vocês se afastaram da Lei Divina.

Osmar, repare que todos os espíritos estão em busca do divino, isso está intrínseco em toda a criação. Quando vocês se afastaram do divino, plasmaram o desencarne coletivo. O vírus é somente o instrumento desses desencarnes. É o resultado da vibração sobre os fluidos que vos cercam.

– Quer dizer, que todos os que estão desencarnando pela COVID-19, estão em débito com o divino?

– Nem todos, alguns estão sendo chamados para reforçar a Nova Era, como você já pôde relatar em outras obras.

– Sim, escrevi sobre isso no livro Regeneração.

– As informações estão sendo passadas para vocês, basta que se dediquem aos estudos, e promovam a transformação vibratória, que tudo voltará ao normal.

– Estamos caminhando para isso, Lucas?

– Sim, felizmente sim.

– Que bom.

– Observe esses espíritos que rondam a morte de Marta, eles são espíritos que estão afinados com ela. Durante muitos anos de sua oportunidade terrena, Marta não preocupou-se em fazer o bem em momento algum. Agora, reencontrara-se com seus amigos, aqueles a quem ela adorou e alimentou por toda a sua vida.

– Coitada.

– Eu poderei relatar sobre a vida dela e dos demais para você.

– Gratidão, Lucas.

– Venha, vamos a outro hospital.

Naquele momento, Lucas levou-me a outro hospital.

Rapidamente, chegamos a uma UTI infantil.

Eu li na placa de entrada: "UTI pediátrica".

Havia vários leitos, mas um, em especial, chamou a minha atenção, pois estava totalmente isolado.

Nos aproximamos, e eu pude ver que era um menino deitado e intubado.

Meu coração se encheu de lágrimas naquele momento.

– Veja, Osmar, esse é o João Pedro.

– Meu Deus, é apenas uma criança.

– Ele também vai desencarnar. Tem apenas 11 anos, e está em estado crítico.

– Posso ver, há vários aparelhos ligados a ele.

– Sim.

– Fique aqui ao meu lado, a equipe de socorro já vai chegar.

Passados alguns minutos, pude ver uma cena que jamais esquecerei.

Nina chega, e ao seu lado, traz o doutor Gilberto, velho conhecido nosso de Amor e Caridade.

Ao seu lado estavam Felipe, Marques e mais seis enfermeiros e uma senhora de cabelos bem branquinhos, que vestia uma roupa dourada.

Nina olhou para mim e sorriu.

Felipe cumprimentou-me com um gesto de cabeça.

Gilberto sorriu para mim.

Meu coração se encheu de esperança e alegria.

A senhora de dourado, muito bonita e bem velhinha, aproximou-se do leito do menino e começou a acariciar sua cabeça.

Eu vi quando fluidos de cor violeta cobriram todo o corpo da criança.

O ambiente estava todo iluminado.

Não contive as lágrimas e chorei em silêncio.

Deus, como és maravilhoso!

Naquele momento, a sala toda ficou iluminada, e o espírito do menino começou a flutuar sobre o seu próprio corpo. Ele estava a uma distância de, aproximadamente, 50 centímetros.

Ele permanecia sereno e com os olhos fechados, e o seu corpo cintilava envolto à luz violeta.

Os aparelhos que estavam ligados ao corpo físico, não estavam no espírito do menino.

A roupa que ele vestia, também já havia sido trocada. E, agora, ele vestia uma linda roupa branca.

Foi quando eu vi que o Dr. Gilberto aproximou-se do leito, e começou a desligar alguns laços fluídicos, de cores variadas, que ligavam o corpo físico de João Pedro, ao corpo espiritual, que flutuava à pequena distância.

Um a um, eles foram sendo desligados pelo médico da espiritualidade, até que o cordão de prata se mostrou brilhante como um feixe de luz violeta muito intenso.

– O cordão de prata, para quem não sabe, é o cordão que vos mantém encarnados. Geralmente, é o último cordão a ser desligado. – disse Lucas bem baixinho.

Naquele momento, dois enfermeiros se aproximaram e fizeram o desligamento do duplo etérico, que tem o formato do nosso corpo, mas é como se fosse uma poeira ou um fantasma de nós mesmos. Após ser separado do menino, esse corpo evaporou no ar como se voltasse a integrar a natureza, o nosso ambiente.

Os outros fluidos também seguem essa ordem natural. – disse Lucas, que narrava para mim tudo o que estava acontecendo, falando bem perto do meu ouvido, para não atrapalhar o trabalho de luz daquela linda equipe de resgate.

O corpo físico estava ali deitado, intubado e ligado a vários aparelhos.

Em cima, o corpo espiritual. Ao lado, Gilberto e os enfermeiros. Nos pés do leito, Nina e Felipe direcionavam as suas mãos em direção à criança, donde eu pude ver saírem luzes de cor verde bem clarinho.

Marques tinha em sua mão, um instrumento que refletia variados feixes coloridos, direcionados sobre o corpo espiritual do menino.

Foi quando dois enfermeiros se aproximaram trazendo em suas mãos uma maca de transporte, e posicionaram-se ao lado da cama, esperando o desenlace final.

Foi a senhora de roupa dourada quem desligou o cordão de prata.

Imediatamente, Lucas aproximou-se ainda mais de mim e estendeu suas mãos em direção à minha cabeça, transmitiu-me energias de paz. Eu precisava muito daquela luz naquele momento. Eu estava muito emocionado e impressionado com tudo o que estava sendo mostrado.

Eu estava ali, presenciando a morte.

Após o desligamento do cordão de prata, o corpo do menino subiu ainda mais, a cerca de 1 metro acima do corpo físico.

Foi nessa hora, que a senhora ficou olhando fixamente para o corpo flutuante do menino, e o atraiu para a maca de transporte.

Logo após repousar o corpo da criança, todos se entreolharam e partiram para dentro de um túnel de luz muito intensa.

Ainda antes de sair, Nina olhou para mim e sorriu.

Todos foram embora. Eu fiquei, por alguns minutos, perplexo com tudo o que havia visto, e muito emocionado em poder relatar tudo isso a vocês.

Lucas, inteligentemente, olhava para mim com carinho, esperando com que eu me refizesse.

– Venha, Osmar. – disse ele, saindo do hospital e me levando para os jardins da Colônia Espiritual Amor e Caridade. Em pouco tempo chegamos lá.

Após ficar algum tempo em silêncio, ele começou a conversar comigo novamente.

> " A morte é simplesmente um acontecimento biológico, intrínseco a todos os espíritos. "
>
> *Cigano Rodrigo*

Nos jardins

Chegamos rapidamente à Colônia Espiritual Amor e Caridade, e eu ainda estava muito emocionado com tudo aquilo que havia visto.

Lucas sentou em um banco em frente ao grande lago, e eu sentei-me ao seu lado sem nada falar.

Os espíritos caminhavam pelos lindos jardins, outros estavam sentados ouvindo uma linda canção, que era tocada por um grupo de jovens sentados à grama.

Era tarde naquele dia.

O Sol alaranjado se punha no horizonte, e pássaros revoavam os céus alaranjados de Amor e Caridade.

Após alguns minutos em silêncio, Lucas dirigiu-se a mim novamente.

– Está melhor?

– Sim, estou bem!

– O que você achou da morte?

– Estou muito impressionado com tudo o que vi.

– Assim é a morte para a maioria dos espíritos. São todos encaminhados para seus lugares de origem, retornamos à pátria espiritual, para o reencontro com aqueles que estão ligados a nós pelas sucessivas idas à encarnação.

– Você pode explicar melhor?

– Sim, Osmar. Você tem uma morada na vida espiritual, aliás, todos têm uma morada aqui.

– Aqui em Amor e Caridade?

– Não, alguns não virão para cá, mas todos têm uma morada na vida espiritual. Existem milhões de Colônias espalhadas no Orbe terreno. Há, ainda, milhões de planetas habitados, e acima desses planetas habitados, outras Colônias, entende?

– Sim, pois se aqui sobre nós, quero dizer, se sobre o plano em que vivo, existem centenas de Colônias, sobre outros planetas certamente encontram-se mais Colônias.

– É assim a criação. Milhares de lugares, milhões de possibilidades e bilhões de oportunidades.

– Para onde levaram o João Pedro?

– Para uma Colônia superior.

– Existem Colônias superiores?

– Sim, as mais desenvolvidas, onde vivem espíritos mais evoluídos. Tudo é merecimento, como temos revelado em todas as psicografias.

– Entendi. E quem era aquela senhora de dourado, Lucas?

– Um espírito superior.

– Eles se vestem assim?

– Assim como?

– De dourado?

– Não. Essa roupa foi a que ela escolheu usar no resgate. Podemos escolher a forma como desejamos ser vistos no local em que estivermos.

– Ela é parente do João Pedro?

– Sim, ela foi esposa, irmã, irmão, pai, tio, amigo, amiga, enfim, em quase todas as encarnações do João Pedro, ela esteve ligada a ele de alguma forma, ela fez isso em várias encarnações. São espíritos afins e estão ligados por milhares de anos.

– E os pais que o perderam agora, não sofrerão?

– Certamente que sim, mas como te prometi, ainda vamos falar sobre esses três espíritos que você está acompanhando.

– Certo, Lucas, é melhor eu esperar.

– Com certeza, tenho uma pergunta para te fazer, Osmar.

– Qual?

– Posso fazer?

– Sim.

– Vamos lá. Você se lembra do nome dos seus quatro avós?

– Sim.

– Então, me diga.

– Por parte do meu pai, o vô José, e a minha saudosa avó Léia.

Por parte da minha mãe, o meu avô também se chamava José, e minha avó, se chamava Maria. Que coincidência, não acha?

– Pois, muito bem. Agora, diga-me o nome dos seus oito bisavós?

A **Vida** *depois da* **Morte**

– Não lembro de nenhum.

– Mas, eles existiram?

– Sim, foram os pais dos meus avós.

– E você não lembra o nome deles?

– Não.

– Osmar, daqui a alguns anos ninguém lembrará sequer o seu nome, muito menos quem você foi. Nem mesmo esses espíritos que estão ligados a você em sua atual encarnação.

– Pior que é verdade, Lucas.

– Mas, isso não quer dizer que eles não existiram. Que não te amaram e que deixaram de existir.

– É verdade.

– São esses os reencontros que todos vocês terão na vida eterna. Aqui todos se reencontram para juntos traçarem novos destinos evolutivos.

O seu bisavô, pode, perfeitamente, ser o seu filho hoje. A sua tataravó pode, muito bem, ser a sua esposa.

– Lucas, eu nunca tinha pensado nisso.

– Essa é a grande história, que um dia todos vocês poderão conhecer.

A história das vidas entre as vidas. Ela vos será revelada.

– Que lindo, Lucas.

– E não adianta me perguntar sobre seus familiares, pois isso ninguém pode ou deve te responder. São os segredos de sua vida, que só você saberá quando, finalmente, terminar a sua jornada terrena. Esse banco de dados, Osmar, é íntimo e pessoal, e só pode ser acessado pelo próprio espírito em evolução. Ele é aberto quando, finalmente, você for despertado da encarnação, quando tomar consciência de que és um espírito. Entende?

– Sim, perfeitamente, Lucas. Se é meu, só eu tenho acesso. Têm mais coisas que irei descobrir?

– Certamente! Você, assim como todo espírito, tem muitas coisas que precisam ser relembradas, e muitas outras coisas a saber.

– Obrigado, Lucas.

– Não tem de quê!

– Todas as vezes que venho aqui, confesso que não tenho vontade de ir embora.

– Um dia, quem sabe, você vem e fica.

– Se for do meu merecimento.

– Isso, pense sempre assim.

– Assim como?

– O lugar que me espera é aquele que está dentro de mim. Se o meu coração é bom, se as minhas atitudes são boas e sinceras, se sou honesto, bom e caridoso, se sigo modificando as minhas atitudes e os meus pensamentos, certamente, será esse o lugar que irei habitar após a vida terrena. "A vida não se resume a esta vida", Osmar.

– É, por isso, que busco me aperfeiçoar ao máximo, extraindo das minhas oportunidades terrenas, o melhor que ela pode me dar. Procuro sempre ser justo, honesto, sincero e verdadeiro, e acho, sinceramente, Lucas, que estou no caminho certo. Embora, muitas vezes, incompreendido e julgado.

– Eu também. – disse ele.

– Como assim, Lucas?

– A imperfeição de outros irmãos, encarnados ou desencarnados, não termina apenas com uma encarnação. Espíritos falam e comentam sobre espíritos. Sempre foi assim, e assim permanecerá por um bom tempo ainda.

– Aqui na vida espiritual ainda há julgamentos?

– Não para aqueles que conseguem viver aqui, mas aqueles que habitam o baixo, estão em constante julgamento aos que conseguiram, através de seus esforços íntimos, chegar ao nível em que estamos.

– Compreendo. Quer dizer, que iremos demorar a parar de julgar os outros?

– Sim, infelizmente, isso é muito comum em todos os lugares.

– Lucas, eu posso te fazer uma última pergunta?

– É para isso que estamos aqui.

– Aqueles laços coloridos que eu vi serem desligados, um a um, do corpo físico do João Pedro, o que são? Eu pude observar que alguns deles eram meio plastificados, não sei bem se é esse o termo que devo usar, mas eles eram pegajosos e sutis.

– Osmar, o desligamento fluídico do corpo espiritual é feito progressivamente. É importante salientar, que seu espírito ficou ligado ao corpo físico por muitos anos, e é essa ligação que intensifica e molda esses cordões, que não podem e nem devem ser rompidos bruscamente.

O desencarne é bem complexo, mas eu vou tentar explicar como tudo isso é feito sem causar dores ao espírito e, principalmente, a dor da morte, que é certo que não existe.

– Eu percebi que durante o processo de separação, tinham minúsculas partículas de chama dourada e violeta em todo o processo feito por Gilberto e aquela senhora. Eu vi, também, uma vasta substância leitosa se exteriorizando ao lado do corpo espiritual do menino.

– Osmar, a intimidade criada entre espírito e matéria, exterioriza-se na hora do desenlace. O que você pôde presenciar na hora da morte, foi o desligamento fluídico.

O corpo humano é formado por milhares de células, as quais estão unidas formando tecidos, órgãos e sistemas. Os vários sistemas do corpo humano, trabalham de maneira conjunta para garantir o funcionamento do organismo como um todo e, consequentemente, a sua sobrevivência.

Para que tudo isso esteja em harmonia, são necessários vários tipos de fluidos. O que você pôde presenciar foi o desligamento de todos esses corpos fluídicos.

Primeiro, é desligada a parte fisiológica do corpo, depois, a parte emocional e sentimental, e por fim, a parte espiritual.

A Vida depois da Morte

Em cada parte dos órgãos, há fluidos, em cada região, fluidos, e em todo o corpo, energias.

Os fluidos condensados geram energia, a energia movimenta o corpo e energiza o espírito, e o raciocínio conduz a encarnação.

Tudo isso precisa ser desligado, um a um, até que tudo se complete.

Osmar, esse desenlace que te mostramos do menino, é o mais comum. Por isso, eu quis te mostrar esse primeiro. Eu sei que você ainda tem muitas dúvidas, mas fique calmo, pois vamos esclarecê-las dentro do possível neste livro. Ainda temos mais dois irmãos, os quais você poderá presenciar o desenlace.

– Sou grato, Lucas.

– Lembre-se que a maioria dos desencarnes ocorre como lhe mostramos acima, a maioria. Mas, existem outros bem complexos, como, por exemplo, no caso dos suicidas, dos acidentes inesperados, e das mortes violentas.

Nós vamos te mostrar alguns exemplos.

– Obrigado, Lucas.

Agora, precisamos fazer uma pausa, pois tenho algumas coisas para cuidar. Em breve, eu te procuro.

– Estarei te esperando, Lucas.

– Até lá, Osmar.

– Até, Lucas.

Nos despedimos, e voltei rapidamente para o meu escritório, muito impressionado com tudo o que havia sido revelado a mim até esta página.

O Lucas, com sua paciência e amor, sempre me comove com o seu jeito carinhoso de nos revelar, nas psicografias, como Deus nos ama infinitamente.

Esperei ansioso pelo novo encontro.

Os dias passaram rapidamente.

> *Se eu pudesse e tivesse esse poder, eu impregnaria no coração de todos, a certeza de que:*
> **Você não vai morrer...**

Osmar Barbosa

Carlos Alberto

Nos encontramos novamente após alguns dias. Lucas estava sereno, e com muita luz ao seu redor.

Eu estranhei, porque normalmente, ele aparece para mim como todos os outros espíritos, e curioso fui logo perguntando...

– Oi, Lucas. Posso te perguntar uma coisa?

– Sim, Osmar.

– O que é essa luz que te envolve nesse momento?

– Desculpe mostrar-me assim para você.

– Eu é quem peço desculpas pela minha curiosidade, Lucas.

– Osmar, eu acabei de vir de um resgate no Umbral. Quando temos pela frente essa região, condensamos ainda mais energias para que possamos realizar a tarefa solicitada. Você deve lembrar quando estivemos juntos para o resgate de Elias.

– Sim, no livro *Acordei no Umbral*.

– Para adentrarmos essa região, precisamos condensar mais energias, assim, após condensada, mesmo que eu comande esse campo protetivo, ele demora um pouco para se desfazer. São fluidos que extraímos do ambiente terreno, aqueles que vocês chamam de ectoplasma.

– Você usa o ectoplasma?

– Sim, sempre que é necessário.

– E de onde você capta esse fluido?

– Do fluido magnético animal. Aquele que o Dr. Franz vos revelou algum tempo atrás. Todos os espíritos quando acessam seu plano terreno, precisam desse fluido para agir sobre vocês. É um fluido muito comum e necessário ao nosso trabalho em algumas situações, mas imperceptível àqueles que não o conhecem.

Por exemplo, quando os médicos da espiritualidade vêm ao Centro Espírita para realizarem as cirurgias, eles precisam desse fluido.

– Nossa, eu não sabia disso.

– Esse fluido está em seu plano terreno, e extraímos ele sempre que necessário. Ele está em todas as coisas, basta saber realizar essa condensação.

– Aprenderemos isso após a vida terrena?

– Sim, por isso o estudo nas Colônias. Para que você se torne um operário nas esferas terrenas, é necessário que aprenda muitas coisas. Lembre-se sempre que estamos em planos diferentes. As energias do plano Maior, são bem diferentes daquelas usadas no plano Terreno.

Cada plano espiritual tem seus próprios fluidos e suas energias.

– Quer dizer que aqui temos uma quantidade de fluidos que utilizamos para estarmos encarnados, e que quando adentrarmos à vida espiritual experimentaremos novas fórmulas?

– Sim, estamos em lugares diferentes, em dimensões diferentes e, muitas vezes, em universos paralelos.

– Que interessante, Lucas, eu nunca tinha pensado sobre isso, e vocês nunca tinham falado nada a respeito.

– Osmar, quando você viaja para um lugar muito frio, como, por exemplo, as regiões serranas, ou quando você viaja para a praia no verão, as temperaturas e o clima são diferentes?

– Sim, são sim.

– É mais ou menos assim.

Estamos em lugares diferentes.

– E como é o clima nas Colônias?

– Muito parecido com o clima de vocês.

– Há lugares frios e lugares quentes?

– Frios não, mas quentes, sim.

– Onde é que o clima é quente?

– No Umbral.

– Eu nem precisava ter feito essa pergunta.

– Pois é, mas é bom que todos saibam, pois o Umbral é um lugar de muito sofrimento.

– Sim, eu percebo sempre que vou até lá. Embora não sinta o clima de onde vocês estão, eu o percebo.

– É um tipo de mediunidade que você tem.

– Sabe, Lucas, eu sou muito grato pela minha existência terrena, e por essas oportunidades que vocês me dão. Confesso que não vejo a hora de terminá-la para estar ao lado de vocês. Eu sei que muitos vão dizer: como pode o Osmar dizer isso? Ele tem família, filhos...

A maior dificuldade para mim, Lucas, é fazer com que todos acreditem no que vejo, escrevo e sinto. Acho que essa é a grande dificuldade de todos os médiuns como eu. É muito difícil viver, sabendo que a vida não termina com essa minha vida.

– O reencontro é inevitável, Osmar, basta agir para o bem e pelo bem, assim, quando a encarnação se finda, é como se você fizesse uma viagem, e algum dia, todos se reencontrarão novamente.

– É exatamente assim que eu penso, Lucas.

Penso que um dia deixarei a Terra, e vou me preparar para receber todos aqueles que amo e que ficaram, mas tenho certeza de que vou reencontrar muita gente que viajou na minha frente, e que estão ansiosos pelo meu abraço.

– Pense sempre assim, pois é assim mesmo que tudo se realiza.

– Eu não tenho dúvida disso, Lucas. E é muito egoísmo de minha parte não querer cumprir o meu destino. Se eu tiver de ir, irei feliz para o reencontro daqueles que foram na frente, e estão ansiosos me esperando.

Certamente, eu também vou me preparar para receber os que deixei e que amo muito. Assim como estão fazendo comigo.

– Osmar, tem uma enorme vantagem esse reencontro.

– Qual é, Lucas?

– É o reencontro eterno, o que não se finda, o que fica para sempre. Quando vocês adentram à vida espiritual, a primeira sensação é a de liberdade, a segunda, de felicidade, e a terceira, de amor, e todas elas juntas compõem a vida depois da vida.

– Que lindo, Lucas, obrigado!

– Osmar, vamos acompanhar o desencarne de Carlos Alberto?

– Sim, vamos!

– Venha, vamos até o hospital onde ele se encontra.

– Vamos.

Em desdobramento, Lucas levou-me até a UTI, no mesmo hospital que encontrava-se Carlos Alberto.

Chegando lá, tudo estava da mesma forma. Carlos ainda estava pronado. Havia dois médicos ao lado de duas enfermeiras.

– Doutor, ele piorou muito essa noite. – disse a primeira enfermeira.

– Deixe-me examiná-lo.

O médico aproximou-se ainda mais do paciente, e observou que, agora, seu estado era gravíssimo.

A Vida *depois da* Morte

– Mantenha a medicação, eu vou ver o que podemos fazer por esse pobre homem. Não faça a chamada de vídeo para a família hoje, vamos poupá-los desse sofrimento. – disse o segundo médico.

– Está bem, doutor.

Todos os dias é realizada uma chamada de vídeo para os familiares acompanharem o estado de saúde dos pacientes naquele hospital.

Naquele dia, as enfermeiras foram orientadas a não realizar a chamada.

Os médicos e as enfermeiras afastaram-se deixando a UTI.

Lucas e eu estávamos muito próximos de Carlos Alberto.

– Ele está muito mal, não é, Lucas?

– O desenlace dele vai se processar agora. Observe e escreva.

– Pode deixar, Lucas.

Uma luz intensa invadiu o lugar. Eu sabia que chegariam, naquele momento, os médicos da espiritualidade, e que iriam processar o desligamento de Carlos.

Saíram dois médicos daquela luz, eu pude ler nos crachás que estavam presos ao peito.

Dr. Gilberto, novamente presente, e o Dr. Ângelo, que vi pela primeira vez.

Junto a eles, tinham dois maqueiros, e um senhor de meia-idade.

O desligamento se inicia.

130

OSMAR BARBOSA

O espírito de Carlos começa a flutuar a cerca de 50 centímetros de seu corpo físico. São muitos laços coloridos que começam e ser desligados pelos médicos.

Um a um, e bem lentamente, eles vão sendo rompidos pelos doutores espirituais.

Os dois maqueiros preparam a maca de transporte, colocando-a ao lado do leito.

O senhor que a tudo assistia, estava visivelmente muito emocionado. Esperei o momento certo para perguntar ao Lucas quem era aquele senhor.

O ambiente estava todo iluminado por uma luz prateada.

À medida que os laços eram desfeitos, o corpo espiritual de Carlos distanciava-se do corpo físico, exatamente como pudemos observar no desenlace de João Pedro.

Eu pude observar, e fiquei bem atento quando os chacras de Carlos foram desativados um de cada vez. Os médicos exerciam uma força espiritual sobre o chacra, que rodava em sentido contrário, até que todos os chacras afunilaram e sumiram.

Eles começaram pelo chacra básico até chegarem ao coronário.

Eram funis coloridos que ao rodarem em sentido contrário, misturavam-se ao ambiente colorindo todo o lugar.

Cada chacra tem uma cor específica, e é muito bonito vê-los se desintegrarem e misturarem-se ao ambiente em que vivemos.

131

Energias, pensei.

Toda a UTI ficou colorida, como um lindo arco-íris que se desfazia lentamente misturando-se ao todo.

Após todos os laços serem desligados, Carlos foi colocado na maca de transporte.

Eu estranhei quando vi que o cordão de prata não tinha se desintegrado, e que os médicos espirituais nem se aproximaram dele.

Curioso, fui logo perguntando ao Lucas.

– Lucas, por que o cordão de prata não se rompeu?

– A grande maioria dos espíritos nesse processo ainda acham que estão, de alguma forma, ligados à matéria física, seja por amor excessivo à família, aos bens, ou preocupação com os que vão ficar e com as coisas que vão deixar, etc.

Desse modo o processo desencarnatório é gradual, e o rompimento do cordão de prata, última etapa no processo do desligamento, só é realizado, na maioria dos casos, após algum tempo.

No caso em questão, o processo não pode ser feito de forma apressada. Agora, dependeremos do desligamento mental do Carlos, do desprendimento dos sentimentos que relatei acima.

É importante informar que para aqueles que encontram-se desprendidos desses sentimentos, o processo é bem rápido, como você pôde ver no caso do João Pedro.

– Sim, ele foi desligado e levado, imediatamente, para o Plano Maior. E como é que o Carlos vai desligar-se desses sentimentos?

– Vamos acompanhá-los?

– Sim. – disse.

Após colocarem Carlos Alberto na maca de transporte, todos nós seguimos para a Colônia Espiritual Amor e Caridade.

Essa viagem é muito rápida, e em questão de segundos já estávamos em uma enfermaria, a qual já tinha visto antes, pois estive algumas vezes no Hospital Amor e Caridade, principalmente, quando realizei a psicografia do último livro *Deametria – Hospital Amor e Caridade*.

Aquele senhor que acompanhou todo o processo, estava ao lado da maca quando nos aproximamos.

Essa enfermaria é muito grande, havia em torno de setenta leitos, todos com espíritos que pareciam estar dormindo. O silêncio era total.

– Lucas, eu conheço esse hospital.

– Sim, é o hospital da sua última psicografia.

– Estive aqui alguns dias ao lado do Dr. Lourenço.

– É ele quem preside este hospital.

– Lucas, quem é este senhor que acompanha o Carlos Alberto desde o seu desenlace?

– Ele é o Carlos, pai do Carlos Alberto Filho.

– Ah, eles tinham o mesmo nome?

– Sim.

– Eu posso falar com ele?

– Sim, claro.

Me aproximei do Sr. Carlos e fui logo perguntando.

– Olá, senhor.

– Como está, meu rapaz?

– Estou bem. O senhor deve estar muito feliz em receber o seu filho.

– Estaria mais feliz se ele estivesse acordado.

O Dr. Gilberto aproximou-se de nós.

– Tenha paciência, Carlos, agora iremos trabalhar para que o seu filho esqueça tudo o que ficou, e recobre a consciência. – diz Gilberto.

Olhando para Lucas, o Sr. Carlos agradece.

– Eu sou grato a você, Lucas, por ter permitido com que eu acompanhasse o desenlace do meu amado filho.

– Não agradeça. Vamos começar os trabalhos.

– Sim, vamos.

– Osmar, por favor, afaste-se um pouco para que possamos dar os passes.

– Perdoe-me. – disse, afastando-me imediatamente.

Um rapaz alto, chamado Rodrigo, aproximou-se do leito sorrindo para nós.

– Olá, Rodrigo! – disse Lucas.

– Vamos ao trabalho, Lucas. – disse Rodrigo.

Naquele momento, eu pude ver Lucas e Rodrigo estenderem as duas mãos em direção ao peito de Carlos Filho, e de suas mãos saíam luzes verdes e violetas. Os fluidos irradiavam sobre o peito e sobre a cabeça de Carlos. Seu pai, ao lado, fazia uma prece mental que todos nós podíamos ouvir.

Gilberto acompanhava tudo do nosso lado.

Seu Carlos pedia a Deus, orando pelo seu filho tão amado.

Após alguns minutos, os passes foram encerrados. Lucas olhou para o jovem Rodrigo, e o agradeceu em um gesto de cabeça.

Foi quando Rodrigo acendeu uma pequena luz de cor esverdeada sobre a fronte de Carlos, pegou um lençol que estava nos pés da cama, e cobriu todo o corpo dele.

Seu pai, ao lado, deixava correr sobre a face cansada, lágrimas de gratidão.

Eu permaneci calado, emocionado e feliz em poder ver o amor em essência.

Carlos abraça Lucas e o agradece pelo resgate, novamente.

Rodrigo também é abraçado pelo pai alegre e emocionado com a chegada de seu filho.

Ele olha para mim e sorri.

Eu, claro, me emocionei novamente.

– Venha, Osmar. – disse Lucas.

Saímos da enfermaria, e eu pude ver mais algumas enfermarias iguais àquela.

O hospital espiritual é muito grande.

Médicos, enfermeiros, assistentes, e vários espíritos cuidam e trabalham naquele lugar.

A Vida *depois da* Morte

– Lucas, esse hospital é muito legal. – disse, caminhando ao seu lado.

– Existem centenas de hospitais como esse, Osmar. Os pacientes que aqui permanecem, ainda não podem adentrar à Colônia, eles precisam de um tempo em tratamento para libertarem-se das coisas terrenas.

Como você pode ver, o Carlos ainda tem seu cordão de prata ligado ao plano terreno.

– E quando é que ele poderá ir para a Colônia?

– Não sei se ele ficará na nossa Colônia. Primeiro, ele precisa desligar-se dos sentimentos terrenos, precisa romper o cordão para, a partir daí, ser acordado. O fato dele estar no Hospital Amor e Caridade não lhe garante um lugar entre nós.

– Por que ele não foi para uma Colônia assim que morreu?

– Porque sempre teve mais amor às coisas materiais do que às coisas espirituais.

Repare que é um desencarne totalmente diferente ao do menino João Pedro.

– Ele está sendo punido, Lucas?

– Não há punição para os filhos de Deus. Colhe-se, na vida espiritual, os frutos da semeadura terrena, simples assim.

– Você pode me explicar o que vai acontecer com ele?

– Sim, claro.

– Venha, vamos até a recepção.

– Certo.

Ao sairmos da larga alameda de Amor e Caridade, caminhamos por uma rua estreita com enormes prédios, um ao lado do outro, sem mesmo ter uma separação. É um lugar onde há pouca vida, mas é um ambiente claro, e todos os prédios têm a mesma cor, amarelo-claro. Esse lugar fica detrás do Hospital Amor e Caridade.

Caminhamos um bom tempo, até que chegamos a um prédio de apartamentos.

Eu estranhei aquele lugar, como assim, um prédio de apartamentos?

Subimos pela escada até o segundo andar.

O prédio não era muito alto, deveria ter, no máximo, quatro andares.

Caminhamos até a unidade 201.

Lucas bateu à porta, suavemente.

Foi quando eu vi o pai de Carlos Alberto Filho, novamente.

Gentilmente, ele abriu a porta e nos convidou a entrar.

O apartamento é bem pequeno, apenas uma sala e um quarto.

Só naquele andar, eu pude contar uns 30 apartamentos.

– Seja bem-vindo, Lucas.

– Obrigado, Carlos.

– Venham, sentem-se. – disse ele, nos convidando a sentar à uma pequena mesa com quatro cadeiras.

No centro da mesa, havia um pequeno vaso com algumas flores de cor violeta.

Sentamo-nos.

Sobre a mesa, havia também alguns papéis e algumas fotos.

– Carlos, eu gostaria de te apresentar o Osmar, agora com mais calma.

– Seja bem-vindo, meu rapaz. Eu vi que você estava muito curioso com tudo o que via. Foi a primeira vez que você esteve próximo a um desencarne?

– Sim, e confesso que fiquei bem impressionado com tudo.

– Seja bem-vindo, rapaz!

– Obrigado, senhor.

– Mas, me conte, o que você faz aqui?

– Eu sou médium, estou escrevendo sobre a vida após a morte.

– Que bom. É muito importante levar essas informações para todos. Eu percebi que você está em desdobramento.

– Sim, estou desdobrado, e agradeço ao senhor pela gentileza.

– Não me chame de senhor, pode me chamar só de Carlos.

– Explique para ele, Carlos, o que você faz aqui na recepção?

– Sim, com prazer.

– Este lugar chama-se "A Recepção". É para cá que vem todos aqueles que esperam receber seus familiares, mas que ainda não tem a permissão para adentrar às Colônias. É como um purgatório, os espíritos que ficam nos hospitais daqui, ainda estão ligados à Terra por algum sentimento, o que impede aos médicos espirituais o desligamento total.

O meu filho ainda nutre sentimentos materiais, e isso impede que ele siga comigo para a Colônia em que estou nesse momento.

– De qual Colônia o senhor veio? Digo, você veio?

– Da Colônia Vale Feliz.

– É bom viver lá?

– Estou lá, temporariamente, preparando-me para uma nova encarnação.

– Que bom que você vai voltar à vida, Carlos.

– Eu não vou voltar à vida, eu já estou na vida, o que vou fazer é voltar a expiar para purgar algumas coisas erradas que fiz, e preciso consertar.

– Desculpe a minha ignorância.

– Não peça desculpas.

– Obrigado.

– Este lugar, Osmar, é onde alguns familiares podem acompanhar seus afins, até que o cordão de prata seja finalmente desintegrado, ou desligado, como queiram.

– E quanto tempo demora para esse cordão ser desfeito, Lucas?

– Varia de espírito para espírito. Fazemos a nossa parte aqui, a parte fluídica já começou, como você pôde ver. Agora, os familiares precisam se acalmar, não brigar pela herança, e se amarem, para que o desligamento total de Carlos Filho seja concretizado. Para que ele possa sentir que está tudo bem, e consiga captar as energias de amor e

A Vida depois da Morte

paz dos familiares que ficaram, e finalmente, desligar-se do cordão. – disse Lucas.

– Quer dizer que, nós que ficamos, temos um papel importantíssimo na libertação dos nossos entes queridos?

– Quando estás preso às coisas materiais, sim.

– Que bom que estou podendo escrever essas linhas.

– Eu quero te mostrar uma coisa, Osmar. – disse Carlos.

– Por favor.

Naquele momento, plasmou-se uma tela fluídica sobre a mesa em que estávamos, e nela, começou a aparecer a vida de Carlos.

Eu pude perceber em seus olhos, lágrimas secretas de amor.

– Veja Osmar, o meu filho herdou as minhas empresas. Sempre foi um homem difícil, embora eu o tenha educado para ser uma pessoa boa e sincera.

Os nossos negócios cresceram após a minha morte.

Olha o que ele construiu.

Na tela, Carlos, sua esposa e os filhos apareciam em viagens, todos em uma linda casa de praia, passeando de lancha, esquiando, desfrutando em aviões, tudo aquilo me impressionava. Vi, também, uma enorme siderúrgica com muitos empregados e centenas de caminhões se movimentando.

As imagens eram nítidas. O que eu pude ver, era uma família feliz e sorridente apreciando a vida. E os negócios indo muito bem.

– Você está gostando do que está vendo?

– Sim, é uma família normal nos dias de hoje, mas com dinheiro para fazer tudo isso.

– Pois é. Você sabe que o meu filho desencarnou vítima de COVID?

– Sim, eu pude acompanhá-lo no hospital.

– Carlos desencarnou muito jovem, como você viu.

– Sim.

– Agora, olha o que iremos te mostrar.

Naquele momento, eu vi na tela, o Carlos que estava sentado ao meu lado, ele estava entrando em uma igreja para a missa dominical.

Vi que antes de sair, ele deixou uma boa quantia em dinheiro com o padre, e vi, também, que a doação foi transformada em alimentos para serem distribuídos aos mais necessitados.

Observei que ao redor dele, da sua esposa e de Carlos filho, que ainda era um rapaz, havia uma luz divina, brilhante e iluminativa.

– Quando praticamos o bem, o bem nos protege e nos ilumina, Osmar.

– Estou vendo, que lindo gesto o seu.

– Obrigado!

Infelizmente, a primeira coisa que o meu filho fez, foi deixar de ir à igreja, e pior, deixou de ajudar aos mais necessitados. Meus mais de 2 mil funcionários ganhavam todos os meses, além do bom salário que eu pagava, uma cesta de alimentos. Eu sempre mantive uma conta na farmácia e outra no armazém, para que todos aqueles que trabalhassem para mim, pudessem pegar o que fosse preciso, em qualquer momento de necessidade.

Tudo cancelado pelo meu filho, quando herdou as empresas.

– É muito triste ver isso tudo.

– Sim. Olha agora.

Eu pude ver algumas mães chorando sem ter o alimento para dar aos seus filhos, pude ver, também, pais muito preocupados por não terem dinheiro para comprar remédios para seus filhos doentes.

– Tudo isso, Osmar, se deu e se dá pelo apego material. Se o meu filho tivesse seguido o que eu deixei e lhe ensinei, certamente, estaríamos agora em uma linda Colônia comemorando o seu desencarne.

– Eu lamento tudo isso, Carlos.

– Osmar, quando um filho, uma esposa, um neto ou alguém que amamos muito, vence a vida terrena, realizamos aqui uma grande festa de recepção. A vida não é terrena, a vida é espiritual. Todos têm o mesmo destino, não há distinção na hora da morte, e muito menos, na vida espiritual.

Aqui, somos tratados com amor.

São todos tratados igualmente. O que pode te diferenciar aqui, é aquilo que você fez quando teve a oportunidade evolutiva da encarnação.

Agora, terei que esperar por um tempo desconhecido para poder abraçar quem tanto amo, e quem sabe, seguir com ele para a Colônia em que vivo.

– O que dependerá para que isso aconteça?

– Primeiro, ele precisa desligar-se da materialidade pela qual viveu durante muitos anos. Depois, receber uma nova oportunidade, que lhe será apresentada quando estiver acordado e pronto para uma boa conversa com os mentores de luz. Ele precisa ser conscientizado de tudo.

– Eu vou orar por vocês, Carlos.

– Eu agradeço a oração, Osmar.

Ao nosso lado, Lucas assistia a tudo calado.

– Será que ele poderá seguir com o senhor?

– Ainda não sei. Espero que sim.

– Eu vou orar para que isso ocorra. – disse.

– Mais uma vez, obrigado!

A tela fluídica mostrava, naquele momento, toda a família encarnada de Carlos. As filhas, a esposa, todos chorosos e tristes com a partida do pai e marido.

Seu Carlos olhava emocionado para todos.

– Podemos ir, Osmar? – disse Lucas, interrompendo tudo o que eu via.

– Sim, Lucas.

– Meus amigos, muito obrigado por terem estado ao meu lado, e ao lado do meu amado filho neste momento.

– Não agradeça, Carlos. – disse Lucas.

A Vida depois da Morte

Eu peguei as mãos daquele senhor, e as apertei com carinho.

A tela foi desfeita.

– Agora temos que ir, Carlos. – disse Lucas.

– Foi gratificante conhecê-lo, Carlos. – disse.

Nos levantamos e saímos após caloroso abraço.

Voltamos para a rua estreita em direção ao hospital.

– Lucas?

– Sim.

– Você pode falar um pouco mais sobre este lugar?

– Que lugar?

– Aquele prédio em que o pai do Carlos está, serve para quê?

– É ali que ficam os familiares vindos das Colônias, para acompanhar a recuperação daqueles que amam.

– Entendi, é como um hotel?

– Sim, é como um hotel, e assim que o parente acorda e é conscientizado, eles se encontram e tratam sobre novos destinos, novas experiências, novas oportunidades.

– Que bom saber disso.

– A vida após a morte não é estagnada, todos estão sedentos de oportunidades evolutivas, Osmar.

– Imagino.

– Agora, faremos uma nova pausa, vejo que você está bem cansado.

– Morto.

– Morto?

– É força de expressão, Lucas.

– Ainda bem, senão eu estaria aqui me questionando, como assim, morto?

Rimos juntos pela primeira vez.

Voltei a minha humilde vida, esperando pelo nosso novo encontro.

O que nos aguarda?

Como Deus é gentil, amoroso, bondoso, caridoso e perfeito.

Como eu desejo que este livro chegue logo aos olhos daqueles que perderam alguém, e que estão em sofrimento.

Como Deus é perfeito em tudo o que faz.

Gratidão! Esse é o meu sentimento pela oportunidade de escrever essas linhas para vocês.

Nada está ao acaso, não somos um amontoado de carne e ossos, somos espíritos expiando, temporariamente, na carne.

"A vida é curta, mas a existência é inacreditável".

Osmar Barbosa

> "Há muitas moradas na casa do meu Pai".
>
> *Jesus*

Marta

Naquela tarde, eu tinha acabado de realizar as minhas tarefas diárias, quando Lucas procurou-me novamente.

Eu estava em meu escritório assistindo a uma palestra virtual, e não imaginava que ele me procuraria naquele horário. Não é hábito dos espíritos que estão ao meu lado escrevendo alguma obra, me procurarem na parte da tarde.

Imediatamente, o cumprimentei.

– Oi, Lucas!

– Olá, Osmar. Vamos dar continuidade à psicografia?

– Sim, claro. Deixa só eu me preparar.

Desliguei o vídeo ao qual assistia, fui até o banheiro, lavei o meu rosto, e preparei-me para segui-lo em desdobramento para escrevermos.

Sentei-me e disse:

– Estou pronto, Lucas. Vamos em frente?

– Agora, vamos ver o desenlace de Marta.

– Vamos.

Em desdobramento, chegamos ao Umbral.

Lucas logo começou a explicar o que se apresentava a minha frente.

– Como você pôde ver da última vez a que assistimos Marta, ela já estava nas regiões inferiores.

– Sim, eu lembro de tê-la visto no Umbral, e fiquei sem compreender o que realmente acontecia com ela.

– O Umbral é uma região atrativa. Ninguém vai para essa região, sem estar em afinidade com ela. É um estado de espírito.

A Marta é uma enfermeira, e contaminou-se no trabalho.

– Nossa!

– Ela é uma mulher muito ruim, uma pessoa difícil. É espiritualista e sempre trabalhou com magia negra.

Pertence a uma seita que é denominada como "seguidores de Jesus e dos Orixás", mas que nada tem Jesus, e muito menos de, Orixás, pois quem se liga à caridade em nome desses iluminados, não pode fazer o mal a ninguém.

Foi iniciada muito jovem, e desde então, dedica-se a fazer magia, não só para as pessoas que lhe pagam, como para si própria.

"Onde há o interesse financeiro, não há espíritos de luz."

Infelizmente, Osmar, existem muitas pessoas que por desconhecimento e falta de caráter, usam algumas religiões para fazerem o que fazem, supostamente, em nome de Deus ou em nome dos bons espíritos.

– Ela era de qual religião?

– Não aconselho você a colocar isso neste livro.

– Por mim não há o menor problema, Lucas.

– Vamos poupar aborrecimentos, Osmar.

– Tudo bem.

– Osmar, há dois caminhos a seguir, o caminho do amor ou o caminho do desamor.

Aqueles que trabalham pelo amor, são socorridos pelo amor, os que trabalham pelo desamor, deveriam ficar abandonados, mas Deus, que ama profundamente todos os seus filhos, não permite que nenhum espírito fique desamparado na hora do desencarne.

Quando renasces para algo que não lembras ou que não conheces, a justiça divina ampara e consola, essa é a Lei.

Se, durante a encarnação, você ainda não tem consciência plena de que és um espírito e que estás em provas evolutivas, não seria justo deixar-te em sofrimento. "Lembre-se, Deus não castiga seus filhos."

"Há amor em todas as coisas da criação."

– Eu tenho certeza disso. Não seria justo mesmo.

– Ele não seria Deus se isso acontecesse. Venha comigo.

Começamos a caminhar em uma trilha com pouca luminosidade, dentro da região umbralina.

– Que lugar é esse, Lucas?

– O Umbral.

– Sim, eu sei que é o Umbral. Pergunto que região é essa do Umbral?

– Vale da morte.

– Eu já estive aqui algumas vezes, mas não me recordo dessa trilha.

– Estamos ao norte do vale da morte.

– É por isso que eu não reconheci esse lugar.

– Relate-o para seus leitores.

– Sim.

O vale da morte é uma subdivisão do Umbral. Lugar sombrio, úmido e fétido.

As árvores não possuem folhas. No chão, muita lama. Há, ainda, um nevoeiro que não nos permite ver muito longe.

O Sol tenta a todo custo clarear o local, mas é tarefa impossível diante de tamanha escuridão.

Continuamos a caminhar pela trilha.

Lucas ia na minha frente, e eu seguia os seus passos, sem me distanciar muito dele.

Caminhamos em silêncio por alguns minutos, até que eu pude ver o leito em que Marta estava.

A cena é a mesma que relatei acima, quando ocorreu o primeiro encontro com ela.

Parecia um quarto de UTI, agora sem paredes.

Havia uma pequena luz que iluminava somente o leito onde Marta estava, ainda com os aparelhos que a mantinham viva.

Ela estava pronada.

Foi quando todos os instrumentos ligados a ela começaram a apitar. Rapidamente, uma enfermeira de estatura muito baixa aproxima-se e se desespera sem saber o que fazer.

Foram poucos segundos, mas suficientes para eu ver Marta cair do leito hospitalar desligada de todos os aparelhos.

Na verdade, o que caiu foi o seu corpo espiritual, enquanto o corpo físico permanecia sobre a cama hospitalar, que começou a se desintegrar, até que todo aquele ambiente onde estávamos, desapareceu.

Ficou tudo escuro, e somente a luz que saía de Lucas nos iluminava naquele momento.

Foi essa luz que impediu com que vários espíritos moribundos se aproximassem de nós.

Senti muito medo naquela hora. Eram muitos obsessores.

Alguns, mal tinham a roupa do corpo, eram verdadeiros zumbis tentando sugar daquele espírito recém-chegado, os últimos fluidos de vida que pulsavam em seu duplo etérico, que desapareceu rapidamente.

O cordão de prata foi rompido imediatamente. E Marta mostrava-se ali como um cadáver enrijecido e frio, naquele lugar horrível.

Sua roupa era escura. Ela vestia um vestido longo e de cor preta.

Estava sem calçados e seus cabelos misturaram-se rapidamente ao lamaçal em que havia caído.

Lucas permanecia de pé protegendo a mim e a Marta.

Até que os inimigos de Marta afastaram-se, e nós tivemos alguns minutos de paz.

– Quem são esses espíritos, Lucas?

– Os afins dela.

– Afins?

– Sim, ela viveu tanto tempo ao lado deles que eles fazem parte dela. Lembre-se sempre, Osmar, colhe-se na vida espiritual a semeadura da experiência terrena.

– Entendo. O que eu não entendi é que ninguém veio fazer o desligamento dos cordões dela.

– Que cordões?

– Eu vi nos outros dois desencarnes que espíritos amigos vieram e realizaram todo o processo do desligamento dos fluidos que mantêm o corpo vivo. Eu vi muito amor, muita caridade e boa vontade em todos os envolvidos, mas por que isso não aconteceu com a Marta?

– O que foi que ela alimentou a vida inteira, Osmar?

– Segundo você, ela sempre trabalhou para o mal.

– Semeadura, colheita, meu amigo.

– Meu Deus, mas ela vai ficar assim jogada, sem nenhuma assistência?

– Espere e verás como acontecerá esse desencarne.

– Certo, Lucas.

Um vento muito frio começa a soprar no lugar. A névoa segue a vontade do vento e a visão fica ainda mais prejudicada. Naquele momento, eu me aproximei ainda mais de Lucas, para não perdê-lo de vista naquele lugar horrível.

Lucas estava sereno, e em pé, ele fitava o horizonte como se esperasse por alguém.

Os minutos pareciam intermináveis horas, mas como eu não queria incomodar o Lucas, decidi então me acalmar e esperar.

Foi quando vi uma pequena caravana de luz aproximando-se de nós. Havia dois maqueiros, um médico, o qual reconheci ao chegar mais perto, e uma menina de uns 20 anos de idade.

Estavam todos vestidos de branco.

– Olá, Gilberto.

– Olá, Lucas e Osmar, como estão?

– Estamos bem. – disse feliz.

– Esta é Luana, a minha mais nova assistente. – disse Gilberto, nos apresentando a jovem.

– Muito prazer! – eu disse.

Os maqueiros também se aproximaram e nos cumprimentaram com um aperto de mãos, nos dando boas-tardes.

– Essa é a Marta, Lucas?

– Sim, é sobre ela que te falei.

– Certo, eu recebi a ficha dela, e lamento por ter sido uma encarnação tão importante, mas, infelizmente, desperdiçada.

– É verdade. – disse Lucas.

– Osmar, nós vamos recolher a Marta e levá-la para o nosso pronto-socorro. Vamos prepará-la para uma nova oportunidade.

A **Vida** *depois da* **Morte**

Marta terá uma encarnação de muitas provas pela frente, e esperamos que ela aproveite bastante e supere todas as dificuldades que lhe serão apresentadas.

Ela irá para uma encarnação compulsória, você sabe o que é isso?

– Sim, sei, mas se pudermos falar um pouco sobre o tema, será de grande relevância para os nossos leitores.

Enquanto Gilberto conversava conosco, os maqueiros colocavam Marta, carinhosamente, à maca.

– Mas, antes de você me falar sobre isso, Gilberto, eu gostaria de saber quem foi que desligou os laços fluídicos de Marta, como ela morreu?

– Ela foi desligada da encarnação devido às atitudes dela, de seus pensamentos, e pelo desconhecimento das Leis Divinas.

– Na verdade, Osmar, o processo dela teve início ao contrair a COVID. O que Marta precisava era de um gatilho para deixar a vida terrena. O vírus acionou esse gatilho, e a partir daí, começou todo o processo de desligamento dos laços que a mantinham viva. – disse Lucas.

– Essa doença tem esse poder?

– Qualquer doença que Marta contraísse, seria suficiente para ela desencarnar, estava em seu plano encarnatório.

– Entendi, então a doença, ou melhor, o vírus foi quem acionou o que iria acontecer de qualquer forma.

– Isso. – disse Lucas.

– Ela já vinha perdendo os seus fluidos vitais. – disse Gilberto.

– Como?

– Fazendo o que fazia. Osmar, quem faz o mal, colhe o mal. Quem faz o bem, colhe o bem. E essas virtudes podem ser colhidas em vida ou em morte.

– Virtudes?

– Sim, a virtude é uma qualidade moral particular, uma capacidade exclusivamente humana, ausente nos outros animais, os quais são regidos apenas pelo instinto.

– Quer dizer, que por ela ser quem era, foi perdendo a sua vitalidade e virou presa fácil para o desencarne.

– É, mais ou menos isso. – disse Gilberto.

– Vocês poderiam, então, me explicar melhor?

– Sim, vamos explicar. – disse Lucas.

– Pessoal, eu tenho que ir.

– Vá, Gilberto. Eu ainda vou conversar um pouco mais com o Osmar.

Após abraçar a mim e ao Lucas, Gilberto nos deixou levando Marta consigo.

A jovem Luana nos direcionou um sorriso, e afastou-se com Gilberto.

– Venha, Osmar, vamos sair desse lugar.

Imediatamente, Lucas levou-me para o Monte.

O lugar chamado Monte, é onde eu tive o privilégio de conhecer Virgílio, na psicografia do livro *Obsessor*.

Chegamos ao alto do Monte, e ficamos observando as cidades abaixo do Umbral.

A visão, embora sombria, é muito bonita.

– O Virgílio está por perto, Lucas?

– Não sei, deve estar cuidando de suas tarefas.

– Eu gostei muito de tê-lo conhecido, quando você me levou para escrever o livro *Obsessor*.

– Eles também ficaram felizes com o seu trabalho.

– Eu sou só gratidão, Lucas, por tudo o que vocês me proporcionam.

– Vamos em frente. Sente-se, Osmar.

Nos sentamos e ficamos calados por alguns minutos, só observando a paisagem.

Após breve pausa, Lucas começa a falar.

– Vamos falar sobre o desencarne de Marta?

– Vamos.

– Então, Osmar, como eu disse, Marta é envolvida com bruxarias em muitas encarnações, e toda vez que ela volta, ela é conscientizada de suas falhas, e de imediato, sempre solicita uma nova oportunidade. Já lhe foram dadas mais de vinte.

Agora, ela vai à encarnação compulsoriamente.

A reencarnação compulsória é impetrada ao espírito quando ele infringe a Lei Divina, e ainda não conquistou o seu livre-arbítrio.

Deus, em sua infinita bondade, faz com que os espíritos reencarnem para passar por novas provas e expiações, e assim, evoluir.

O que todos devem aprender é que, de modo algum, isso pode ser considerado um castigo, já que o Criador não castiga a criatura.

É uma situação a qual alguns espíritos devem passar, por ainda não terem conquistado tal independência.

Nós somos criados simples e ignorantes, e é por meio das encarnações, das provas e expiações, que vamos adquirindo conhecimento, sabedoria e moldamos nossa evolução, ampliando e aperfeiçoando nossa autonomia..

A partir dessa evolução, conquistamos o nosso livre-arbítrio pleno. Ele precisa ser conquistado pelo espírito, e é por isso, que muitas vezes, vocês não compreendem o porquê de tanta ignorância em um ser encarnado, não entendem como é possível existir pessoas tão difíceis ao lado de vocês na vida terrena.

Nós, os espíritos, estamos em evolução e evoluir significa conquistar o nosso livre-arbítrio também.

Quando somos criados, ainda não temos a noção de certo e errado, e é através das experiências e encarnações que vamos aprendendo e conquistando o poder de decidir, como disse acima.

Você está compreendendo?

– Sim, Lucas.

– Muita gente acha que o espírito já nasce com o livre-arbítrio, mas essas pessoas estão enganadas. Ele é a primeira e mais importante conquista do espírito em evolução, por esse motivo é que há a encarnação compulsória.

– Agora eu entendo.

– O espírito que conquistou o livre-arbítrio já é considerado capaz de fazer escolhas certas e erradas. Todos estão em evolução e evoluir é, primeiramente, conquistá-lo. A caminhada para essa conquista é curta para alguns e longa para outros.

– Marta não havia conseguido ainda?

– Não, ela reencarna para conquistar a sua individualidade espiritual, mas fracassa quando se entrega aos prazeres do mundo.

– É por isso que ela está sendo preparada para o reencarne compulsório?

– Exatamente. Mas, repito, isso não pode, de modo algum, ser considerado como um castigo, porque é apenas uma situação a qual o espírito passa, por ainda não ter conquistado o livre-arbítrio, entende?

– Sim, Lucas.

– Deus não fica comandando as nossas ações e impondo situações, a reencarnação compulsória é como respirar, você faz sem perceber, apenas por instinto, porque você está em busca de sua liberdade de ações e escolhas.

– Que perfeição, Lucas.

– Ele é perfeito, Osmar.

A partir do momento que você tem plena consciência das suas ações, você conquista o livre-arbítrio e analisa tudo a sua volta, decidindo o que deve ou não fazer em sua vida.

À medida que você desenvolve sua razão e senso moral, ele é devidamente ampliado.

Então, a liberdade da vontade permite adquirir conhecimento e virtude. A nossa liberdade de agir é constrangida por limitações, e o prisioneiro se move apenas no espaço de sua cela. A morte é inevitável para todos os mortais, a necessidade de se alimentar é incontornável, entre muitos outros exemplos.

Assim, todos alinhados ao bem, e após terem conquistado o livre-arbítrio, poderão trilhar os caminhos evolutivos, que são infinitos, como poderemos ver daqui por diante.

– Vamos ver muito mais, Lucas?

– Sim, mas agora eu preciso ir. Te vejo em breve.

– Leve-me para casa, Lucas.

– Pense em sua casa e você chegará nela. Até breve!

Lucas deixou-me ali, sentado.

Após alguns minutos, refletindo sobre todos aqueles ensinamentos, desloquei-me até a minha humilde vida terrena, mas não, sem antes, aproveitar o Monte ao máximo.

O lugar é incrível!

> *Diz o ditado:*
> *Ontem, é história.*
> *O amanhã, um mistério.*
> *Mas, o hoje, é uma dádiva*
> *Por isso se chama...*
> *Presente.*
>
> *Viva-o intensamente...*

Osmar Barbosa

Uma nova vida

Após dois dias, Lucas me procurou novamente para continuarmos esta psicografia.

Eu já estava preocupado com a sua ausência, mas estou acostumado, é assim mesmo, os espíritos não estão a minha disposição. Eu estava saudoso e, extremamente, curioso com tudo o que seria revelado para nós.

Eu sinto muito a falta dos espíritos que tive e tenho o privilégio de conhecer durante os meus desdobramentos e durante as psicografias.

O Lucas em questão, e a Nina, são espíritos muito especiais para mim, não desmerecendo os outros, é que tenho mais afinidade com eles.

Confesso que já estava saudoso.

– Olá, Osmar.

– Oi, Lucas. Eu estava preocupado com a sua ausência.

– Temos muito trabalho aqui na vida espiritual, Osmar.

– Eu sei, mas sinto a falta de vocês.

– É bom saber disso, nós também ficamos ansiosos por esses encontros.

– Sério?

– Sim, as informações passadas aqui são muito importantes, por isso, temos ansiedade em transmiti-las a vocês.

– Nunca imaginei que as coisas fossem assim.

– Osmar, estamos no Universo a trabalho evolutivo, e cada vez que temos a permissão para transmitir algum ensinamento a vocês, nos enchemos de alegria e satisfação.

– Meu Deus, e eu achando que você está me fazendo um favor.

– Não, claro que não. Tudo é organizado antes de acontecer, e há uma série de permissões que precisamos obter, antes de lhe transmitir este livro.

– Você pode nos explicar como é?

– Sim, venha, eu vou te levar ao prédio da Informação.

– Prédio da Informação?

– Sim, todas as Colônias têm um setor encarregado das instruções, informações, estudos e tudo o mais que podemos levar aos espíritos em evolução. Muita coisa que passamos para você, é recém-chegado para nós, assim, tudo tem que estar em conformidade.

– Meu Deus, vamos logo!

– Venha! – disse Lucas, convidando-me ao desdobramento para poder segui-lo.

Rapidamente, chegamos à Colônia Espiritual Amor e Caridade novamente.

Caminhamos pela alameda principal até chegarmos a um enorme prédio em formato oval e de cor rosada.

Eu parei defronte a ele, e fiquei admirando a beleza arquitetônica do lugar.

Lucas esperou-me à porta de entrada por alguns minutos, enquanto eu admirava o encanto daquele local.

– Venha, Osmar, vamos entrar.

Entramos por uma grande porta, e na recepção, eu parei mais uma vez para observar a tudo.

Na verdade, ao entrarmos, chegamos a um espaço muito grande, como a entrada de uma biblioteca.

Havia algumas poltronas confortáveis, a luz era baixa, quero dizer, os lustres de iluminação vinham do teto presos por fortes cabos e chegavam a uma altura de, no máximo, dois metros.

Eram vários lustres coloridos, de formato ovalado.

Alguns eram azuis, outros verdes e outros amarelos.

A iluminação é o grande destaque dessa recepção, se é que posso chamar àquilo de recepção. O tamanho dos lustres era de, no mínimo, um metro e meio cada um.

Ao fundo, um balcão também ovalado e todo de mármore branco, destacava-se no ambiente.

O chão também era em mármore branco. Eu tenho andado por vários prédios na vida espiritual, e confesso que nunca tinha visto nada igual.

– Venha, Osmar. – disse Lucas, dirigindo-se a uma porta no fundo do grande salão oval.

Caminhei lentamente seguindo o meu instrutor, admirado com tanta beleza.

Lucas abre a porta e espera até eu chegar.

A *Vida depois da* **Morte**

Entramos em um pequeno corredor onde havia somente duas portas, as quais levavam às salas em que trabalha a direção daquele lugar.

Na primeira porta, em uma placa azul, estava escrito: "Atendimento". E, na outra: "Diretoria".

Entramos na porta de atendimento.

É uma sala ampla, com um pequeno balcão de atendimento.

Lucas para e espera com que um rapaz, que está sentado, venha nos atender.

Logo, o jovem aproxima-se de nós.

– Como tem passado, Lucas?

– Estamos todos bem, Fernando. Trago o Osmar para te conhecer.

– Entrem. – diz Fernando, abrindo uma pequena porta ao lado do balcão. Ele nos convida a sentarmos em duas cadeiras muito bem posicionadas em frente a sua mesa.

Havia grandes janelas e cortinas que davam um charme ao ambiente.

Eu pude ver alguns quadros nas paredes.

Um deles, em especial, eu logo reconheci. Tratava-se de um quadro com a imagem de Catarina de Alexandria.

Nos sentamos e começamos a nossa conversa.

– Seja bem-vindo, Osmar! – disse Fernando.

– Estou impressionado com a beleza deste lugar, Fernando.

– Eles capricharam quando plasmaram esse prédio.

– Perdoe-me, eles quem?

– Os superiores.

– Os superiores?

– Tudo o que você vê nas Colônias, foi criado por espíritos superiores. Nós ainda não temos a capacidade de criar uma obra tão complexa, embora, já tenhamos adquirido conhecimento suficiente para plasmar coisas menores. – disse Lucas.

– Eu sei, Lucas, tenho visto o seu trabalho e compreendo que quando adquirimos certa evolução, mais coisas são acrescentadas a nós.

– É exatamente assim, evoluir significa tornar-se melhor em todas as coisas.

– O que desejam de mim, Lucas? – disse Fernando.

– Eu trouxe o Osmar para conhecer o seu trabalho, Fernando.

– Que bom! Você vai colocar isso em seu novo livro?

– Sim, Fernando, se você permitir.

– Claro! Você deve revelar o que eu vou te contar.

– Que bom!

– Osmar, nós somos do departamento de Informação. Tudo o que os espíritos estudam aqui em nossa Colônia, é passado pelo nosso setor.

Nosso objetivo é desenvolver e aprimorar tudo aquilo que todos os espíritos precisam estudar.

A **Vida** *depois da* **Morte**

Quando vocês chegam aqui sedentos por conhecimento, todo o material de ensino precisa estar de acordo com os níveis intelectuais de cada um.

Não podemos aplicar um teste de matemática em quem nunca estudou matemática, entende?

– Sim, estou entendendo.

– Eu posso te mostrar, se você desejar, que há aqui, como na vida corpórea, níveis educacionais muito parecidos com os que vocês possuem. Temos ensino fundamental, ensino médio, e ensino superior. Temos, também, além desses níveis de estudo ou escolares, como queira chamar, o nível de aperfeiçoamento educacional, que é como se fosse uma especialização, entende?

– Sim, entendo perfeitamente.

– A vida espiritual é uma nova vida. Quando você conquista a permanência em Colônias Espirituais, logo você é convidado a se especializar em algo. Boa parte daquilo que você aprendeu quando encarnado, é utilizado aqui. Portanto, se você é um bom aluno, gosta de estudar, e formou-se em alguma coisa na vida terrena, isso será útil aqui.

– Nossa!

– Sem exceção, todos que recebem o prêmio de viver nas Colônias, estão sedentos para serem úteis aos demais espíritos.

O que todos precisam saber, é que aprender aqui, também é uma forma de ajudar a quem está lá, entende?

– Como assim, Fernando?

– Quando você morre, a primeira coisa que você aprende é que você não morreu assim como imaginava, que as coisas não eram bem como te diziam ou como você acreditava.

– Sim, eu sei disso.

– Osmar, você sabe por que as comunicações da vida após a morte são raras?

– Como assim, raras?

– Você sabe por que quando você perde alguém muito querido, esse alguém não volta correndo para te dizer como está aqui na vida espiritual?

– Não, nem faço ideia.

– Porque quando chega aqui, você toma consciência de que a morte não existe, e que quem ficou, vai ter essa grande surpresa ao deixar o corpo físico.

– Nossa, Fernando, como eu luto, diariamente, para colocar isso na cabeça das pessoas. Faço palestras, faço vídeos, faço lives... é tanto trabalho.

– Elas não acreditam como você, não é, Osmar? Mas, por favor, não desista. É por isso e para isso que você tornou-se um escritor.

– Nossa, como sou grato a vocês.

Jesus não desistiu perante as suas dificuldades. Siga o exemplo d'Ele.

Sabe, Osmar, a surpresa é tão grande, que muitos desejam morrer de novo, só para experimentar os reencontros.

– Está escrevendo, Osmar? – questionou Lucas.

– Sim, estou atento aos ensinamentos de Fernando.

– Vamos em frente! – disse o jovem.

Fernando deve ter, no máximo, 25 anos de idade. É ruivo, tem barba por fazer e é muito simpático.

– Osmar, quando você desperta para a sua nova realidade, logo você se dá conta de que não pode mais perder tempo.

É importante ressaltar que, embora a gente tenha salas de aula, quadros-negros, projetores, e tudo o que tens nas escolas terrenas, o nosso ensino ocorre, na maioria das vezes, por telepatia. Assim, o aluno não se sente cansado, e muito menos tem preguiça de estudar, pelo contrário, logo que as aulas começam eles ficam sedentos para aprender tudo.

Aprender aqui é ter acesso a outros planos, a outras dimensões, a outros mundos, entende?

– Mais ou menos.

– Irei explicar melhor.

Aprender aqui, é evoluir intelectualmente, e quanto mais evoluído intelectualmente você estiver, mais livre você estará para visitar outras Dimensões, outros Planetas, outras Galáxias, outros Universos, outras Colônias, outras Cidades.

Poderá ir à Terra ou ao planeta do qual você veio, visitar aqueles que ficaram, e de alguma forma inteligente, poder ajudá-los a superar seus desafios e a evoluírem, para um dia estarem ao seu lado, onde quer que você esteja.

– Nossa, eu aprendo cada vez mais com vocês.

– E tem mais.

– Mais?

– Sim.

– Vamos em frente.

– Espíritos mais sábios, ou seja, aquele familiar, parente, amigo, amor, espírito afim, colega, companheiro ou companheira, filho ou filha, avô ou avó, que chegou antes de você e absorveu os ensinamentos com mais rapidez, distancia-se daqueles que ainda não se compreenderam como espíritos, e estão limitados intelectualmente.

Por isso, a busca do conhecimento é frenética em todas as escolas, em todas as Colônias.

– Caramba! Quer dizer que a minha mãe, por exemplo, pode estar muito distante de mim, e eu poderei não ficar com ela?

– Exatamente. Provavelmente, se a sua mãe já estiver mais evoluída intelectualmente, quando você chegar aqui, não irão se encontrar em um primeiro momento. Mas, ela poderá te visitar, e certamente, aconselhará você a estudar bastante, para logo poder acessar o lugar em que ela vive.

– Eu posso vir para cá, por exemplo, e não querer melhorar-me intelectualmente.

(Risos)

A Vida depois da Morte

– O que houve? Falei alguma bobagem?

– É impossível que isso aconteça, Osmar. – disse Lucas.

Porque quando você chega aqui, e tem a oportunidade de não mais encarnar, vai descobrir que você é um espírito muito antigo, e logo lembrará dos seus amores mais antigos, e quando lembrar de todos, vai querer sair correndo para reencontrá-los.

Uma das grandes surpresas da vida após a morte, é que você se descobre como é em essência.

– Meu Deus, isso é bem complexo.

– Não, não é complexo, é a realidade. Você não viveu somente uma vida, você não está aqui de volta pela primeira vez, você é um espírito eterno, que já experimentou várias vezes, e que já viveu em muitos lugares para estar onde está hoje.

– Que lindo, Fernando!

– Pare de pensar como alguém que vai morrer. Pense em como você é realmente. Você é eterno...

– Essa minha vida de mortal.

– Nada do que Ele criou, morre, nada mesmo. Tudo está em acordo com as energias universais e suas Leis que regem toda a criação.

Os espíritos estão em evolução... veja ao seu redor, encarnado, como tudo está em evolução, a energia evolui, as tecnologias evoluem, os seres estão em evolução, a Terra está em constante processo evolutivo, então, como vocês podem achar que a vida termina com a vida? Sejam racionais...

Não há mais tempo a perder.

A regeneração bate à porta do seu planeta. Estamos nutrindo os médiuns com informações importantíssimas sobre todo o processo transformador ao qual todos vocês estão imbuídos.

Estamos andando para frente. Nada da criação é retrógrado.

Os que escolhem ou escolheram ser retrógrados, recebem novas oportunidades até que se conscientizem que é preciso evoluir, que precisam seguir para frente.

E, mais cedo ou mais tarde, irão ter consciência que só há um caminho: a evolução.

Evoluir é parte de todos os espíritos.

Repare que os encarnados nascem, passam pela infância, depois pela puberdade, logo vem a juventude, daí amadurecem e morrem.

Todos estão nessa lei, e não dá para fugir dela.

É uma Lei Natural a toda a criação. Querendo ou não, todos irão evoluir.

Existem Leis, Osmar, e elas não se modificam.

– Tenho consciência disso, Fernando.

– Informe a todos em seu livro, que a vida não termina com o fim da vida corpórea. Somos eternos. Eu já conquistei o meu espaço e sou muito útil, e agradeço, todos os dias, por estar aqui fazendo o meu trabalho com amor e carinho.

– Eu agradeço, Fernando, e vou informar.

– Venha, eu quero te mostrar uma coisa.

Fernando levanta-se, e nos convida a sairmos da sala dele.

Caminhamos para a recepção, e nos dirigimos a outro corredor que há na parte esquerda da entrada.

Fernando ia na frente, e eu ao lado de Lucas, que sorria para mim.

– O que houve, Lucas?

– Nada, só estou feliz por você relatar tudo isso para os seus leitores.

– E eu mais ainda, Lucas.

Chegamos a uma porta a qual havia uma placa com os dizeres: "Salão 1".

Lentamente, Fernando a abriu, e o que eu vi emocionou-me profundamente.

Havia vários espíritos sentados, como se estivessem estudando.

À frente, uma professora aplicava uma aula.

Caminhamos lentamente, para não fazer barulho.

Nos sentamos nas últimas cadeiras, as quais pareciam estar reservadas para nós.

– Sente-se, Osmar. – disse Fernando.

Na tela, um projetor mostrava uma linda imagem.

Era um filme, na verdade.

No filme aparecia uma linda cidade espiritual.

Estávamos sobrevoando o lugar.

A cidade era semelhante a uma cidade futurista, pois os prédios eram todos futuristas, e tinham diversos formatos.

As ruas eram asfaltadas com um betume branco.

Eu pude ver espíritos caminhando, outros se divertindo, e todos estavam muito alegres e felizes.

Vi uma grande praça onde crianças corriam, pessoas caminhavam, e logo pensei tratar-se de algo do futuro, quando Fernando começou a falar.

– Você está vendo essa cidade?

– Sim.

– Ela é uma cidade de outra dimensão. Não é nada futurista como você pensa. Essas cidades já existem há bastante tempo. As tecnologias que vocês recebem na Terra, são de experimentos feitos em outros planetas, outras dimensões.

Um dia, o seu planeta será exatamente como esse.

Havia veículos de transporte que flutuavam sobre as estradas brancas.

Animais brincavam com as crianças.

Tudo era muito lindo.

Aquilo me deixou muito impressionado.

– Sabe por que essas revelações ainda não chegaram para vocês, Osmar?

– Não.

– Porque vocês não acreditam.

– Eu acredito.

A Vida depois da Morte

– Mas, a maioria não acredita, Osmar. Claro que isso é parte da intelectualidade do espírito que ainda não compreende que o projeto de Deus é muito maior do que vocês imaginam.

Não chore porque aquela pessoa que você tanto ama deixou a encarnação. Não há motivos para as lágrimas. Ninguém morre definitivamente.

Você está vendo todos esses alunos?

– Sim.

– Venha. – disse Fernando, levantando-se.

A professora interrompe o vídeo, e acende as luzes da grande sala de aula.

Todos olharam para nós naquele instante.

Eu fiquei muito envergonhado por atrapalhar o trabalho deles.

– Venha, Osmar. – disse Lucas.

Nos levantamos e nos dirigimos até o lugar onde a professora estava.

A sala toda olhava para nós.

– Marília, esse é o Osmar. – disse Fernando, me apresentando à professora.

– Oi, Marília.

– Oi, Osmar, seja bem-vindo. Oi, Lucas. – disse ela.

– Olá, Marília.

– Pessoal, boa tarde! – disse Fernando.

Todos nos saudaram.

Eu nunca senti tanta vergonha em minha vida.

– O Osmar é um escritor e está aqui desdobrado. Ele está escrevendo um livro sobre a vida depois da morte.

Todos os alunos, sem exceção, deram leves pancadas na carteira, como se estivessem me cumprimentando alegremente.

A vergonha só aumentou.

– Eu queria pedir a vocês que se identificassem para ele dizendo os seus nomes, as suas idades e há quanto tempo estão aqui, pode ser?

– Todos concordaram.

– Então, vamos lá! – disse Marília.

Havia uns oitenta alunos espalhados nas carteiras, dessas que temos em nossas faculdades.

– Podem começar, pessoal.

Um a um, eles iam levantando e se apresentando.

– Eu me chamo Letícia, tenho 24 anos, e estou aqui há 35 dias.

– Eu me chamo Raquel, tenho 51 anos, e estou aqui há 40 dias.

– Eu me chamo Paulo, tenho 19 anos, e estou aqui há apenas 7 dias.

– Eu me chamo Herculano, tenho 60 anos, e estou aqui há 15 dias.

– Eu me chamo Michelle, tenho 31 anos, e estou aqui há 32 dias.

A **Vida** *depois da* **Morte**

– Eu me chamo Henrique, tenho 21 anos, e estou aqui há 22 dias.

– Eu me chamo Mariá, tenho 17 anos, e estou aqui há 10 dias.

– Eu tenho 26 anos, me chamo Gustavo, e estou aqui há 90 dias.

Assim, um a um, todos se apresentaram para mim. A maioria tinha idade de jovens, e estavam ali há pouco tempo.

Na sequência, Fernando agradeceu e desculpou-se pela interrupção da aula.

– Não tens com o que se preocupar, Fernando. – disse Marília.

– Venha, Osmar, vamos sair. – disse Lucas.

Saímos da sala e caminhamos em direção à recepção. Eu percebi que Fernando iria nos deixar, e terminaria ali o nosso primeiro encontro.

Nos despedimos de todos os alunos, que felizes batiam nas carteiras, demonstrando muita alegria pelo nosso encontro.

Ao chegarmos à porta, Fernando me perguntou:

– O que você achou da turma, Osmar?

– Eu achei incrível.

– Algo te chamou a atenção?

– Confesso que estranhei todos serem novos.

– A idade aqui é a que você escolhe para viver na vida espiritual. O que eu gostaria de salientar, é que todos esses alunos chegaram aqui há bem pouco tempo. E repare que todos estão muito dedicados ao estudo da vida após a morte.

São todos recém-chegados, e estão esforçando-se para aprender mais sobre a vida após a vida.

Assim que o espírito chega aqui, e se conscientiza do que é a vida após a morte, ele logo deseja aprender mais, porque sabe que aprendendo, suas possibilidades aumentam muito. – completou Lucas.

– Por isso a sala está tão cheia. – disse Fernando.

E olha que essa é apenas uma das salas que temos aqui.

– Quantas salas vocês têm aqui em Amor e Caridade?

– Para esse trabalho, 18 salas. Com capacidade para 100 alunos.

– E quanto tempo, em média, precisamos estudar?

– Isso só depende de você.

– Como assim, depende de mim?

– Depende da absorção de tudo o que lhe é ensinado.

– Entendi.

– Mas, em média, esses alunos se formam com setecentas horas vida de aula.

– Horas vida?

– Horas terrenas. Usamos esse calendário, pois é o mais habitual aos que recém-chegaram aqui. – disse Lucas.

– Entendo.

– Fazemos de tudo para facilitar a evolução espiritual. – disse Fernando.

A **Vida** *depois da* **Morte**

– Obrigado, Fernando.

– Não agradeça, escreva.

– Você também?

– Sim, Osmar, o seu trabalho é muito importante para nós.

– Obrigado, Fernando.

– Antes de você ir, eu quero que você registre que aqueles que atentam contra a própria vida, não vêm para cá.

– Como assim?

– Suicidas não virão para cá.

– Realmente, é bom lembrar disso. – disse Lucas.

– É verdade, meus amigos. Estamos revelando coisas maravilhosas, e não podemos deixar de alertar os nossos leitores. A vida não termina com uma vida, mas não podemos tirá-la, não temos esse direito. Tudo está em nossa programação evolutiva.

– Aqueles que tiram a própria vida, passam por longos períodos de sofrimento nas regiões do Umbral, e infelizmente, nada podemos fazer por eles. – disse Fernando.

– Vamos seguindo e orientando.

– Faça isso, Osmar.

– Lucas, por que você não leva o Osmar para escrever um livro sobre o suicídio?

– Você nos permite?

– Sim.

– Então, escreveremos sobre o suicídio muito em breve, pode ser, Osmar?

– Sou seu lápis, Lucas.

– Então, estamos combinados.

Nos abraçamos felizes, e Lucas me trouxe até a minha casa. Retomei a minha rotina, esperando ansiosamente por uma nova oportunidade.

Antes de ir embora, Lucas me disse:

– Osmar, a vida espiritual é algo que, infelizmente, ainda não podemos mostrar totalmente.

– Por que, Lucas?

– Vocês não compreenderiam. Mas, eu vou te levar para que você possa acompanhar o que está acontecendo com Marta, Carlos Alberto e com o menino João Pedro. Está bem?

– Já estou ansioso.

– Até breve!

– Até, Lucas.

O que teria Lucas para nos mostrar ainda mais...

Como é bela a vida depois da morte.

Um novo livro. Que honra poder ser instrumento desses amigos espirituais.

> "
>
> A vida continua...
>
> "
>
> *Osmar Barbosa*

A volta de Marta

Naquela manhã, Lucas chegou bem cedo a minha casa.

– Bom dia, Osmar.

– Bom dia, Lucas. Que bom que você está aqui.

– O que houve?

– Estou muito triste.

– Por quê?

– Acabei de perder um grande amigo. Eu sei que você vai brigar comigo por nutrir esse sentimento. Mas, é algo que não conseguimos controlar.

– Perdeu, como assim?

– Ele desencarnou.

– Não me venha com esses sentimentos de que perdeu alguém.

– Ele morreu, Lucas.

– Ninguém morre, Osmar, conforme estamos te mostrando.

– Sim, eu sei, mas é difícil essa separação temporária.

– Essa é uma dor de dois mundos. Não seja egoísta.

– O meu amigo também sente a minha falta?

– Claro, visto que ele não morreu.

A Vida depois da Morte

– Sério?

– Osmar, a morte física é como uma viagem, aliás, é uma viagem. A diferença é que, normalmente, uma viagem é programada, você escolhe o lugar, o hotel, o tempo que vai permanecer lá, etc.

Outra diferença é que a separação pela morte biológica é imposta, ou é cumprida atendendo o seu projeto encarnatório.

Quando você acorda da viagem para os planos espirituais, logo você se aborrece, por ainda não compreender o que está acontecendo.

– Aconteceu isso comigo, quando sofri um acidente aos 26 anos, e acordei em uma Colônia.

– Qual foi a sua sensação?

– Eu tinha a certeza de que havia morrido, Lucas, e fiquei muito chateado, afinal, eu era muito jovem.

– Essa é a primeira sensação de todos que chegam aqui.

Eu não havia percebido, mas estávamos Lucas e eu na Colônia Amor e Caridade.

– Lucas, eu nem percebi, você me trouxe para cá.

– Assim é a morte, Osmar, você nem percebe e chega ao seu destino.

– Meu Deus!

– Mas, me fala um pouco mais das suas primeiras impressões quando chegou aqui, quando sofreu o acidente?

– Eu fui atraído por uma luz intensa, bem forte, mas que não ofuscava os meus olhos.

Eu entrei nela e cheguei a alguma Colônia. A primeira certeza que tive era a que eu realmente havia morrido.

Lembrei dos últimos momentos no hospital, onde o meu corpo estava intubado.

– E, aí?

– Quando lembrei disso tudo, eu fiquei bem chateado. Comecei a reclamar com Deus, e a questionar por que eu tinha morrido tão jovem?

Quem cuidaria do meu filho, que só tinha 3 anos de idade?

As minhas coisas, o meu carro, enfim, eu não tinha muita coisa naquela época. Estava separado da minha primeira esposa e vivia sozinho.

Lembrei das minhas irmãs e chorei.

Sentei em um banquinho no jardim onde a poderosa luz me deixou e fui me acalmando.

Até que a minha mãe, que eu havia perdido quando tinha 14 anos, em um acidente de carro, apareceu.

Eu nunca tinha beijado tanto a minha querida mãezinha como naquele dia, Lucas.

O que em mim era revolta e tristeza, transformou-se em alegria. Uma alegria pela qual nunca mais esqueci.

– É assim com quase todos os espíritos que chegam aqui, Osmar. Vocês nunca estarão sozinhos.

A revolta é muito comum a todos que vêm para cá. Os prazeres da Terra, a família, os bens, e tudo o que é deixado, causam uma sensação de perda que, na verdade, nada mais é do que egoísmo.

A **Vida** *depois da* **Morte**

Afinal, vocês vivem para ter as coisas, juntam tantas coisas, e no final, não levam essas coisas.

– É verdade, Lucas.

– Vocês perdem as melhores oportunidades da vida e a saúde para juntar dinheiro e patrimônio. E por pensarem ansiosamente no futuro, esquecem-se do presente e de todas as pessoas que te fizeram ser o que são, e acabam não vivendo o presente, muito menos, o futuro.

Vivem como se nunca fossem morrer, e morrem como se nunca tivessem vivido. Ao final, gastam tudo o que juntaram para tentar sobreviver. E chegam aqui revoltados com tudo o que deixaram para trás.

– Mas, eu logo fiquei muito feliz, e não queria mais ter voltado para a minha vida atual.

– Se você não tivesse voltado, como escreveríamos essas obras?

– Foi por isso que eu voltei, Lucas?

– Você saberá de tudo quando desencarnar, não se preocupe.

– Poxa, como eu queria saber da minha mãe, Lucas. Tenho andado ao lado de vocês e sempre que tenho uma oportunidade pergunto por ela.

– O fato de você ser médium e estar em contato conosco, não te habilita para saber aquilo que ainda não pode ser revelado.

– Eu entendo e agradeço, Lucas. Agradeço até pelas inúmeras cartinhas consoladoras que já escrevi para todas aquelas pessoas que mereceram essa comunicação.

Muitas vezes eu me chateei, Lucas, porque os espíritos comunicam-se com seus familiares através da minha psicografia, mas eu mesmo não conseguia notícias da minha querida mãezinha.

No livro *Mãe, voltei!*, eu psicografei várias cartinhas de crianças que deixaram o convívio terreno. Eu fiquei muito feliz por ter sido o portador daquelas mensagens que, certamente, consolaram muitos corações.

– Não agradeça, trabalhe confiando no amor.

– Obrigado, Lucas!

– Venha, Osmar, vamos visitar a Marta.

Lucas levou-me à Colônia Nosso Lar.

Chegamos já era fim de tarde, e fomos direto para o prédio "Ministério da Regeneração".

Havia milhares de espíritos circulando por Nosso Lar.

Fomos recebidos por Laura, que é assistente da governadoria.

Ela é uma senhora muito simpática, tem sempre um sorriso no rosto.

– Boa tarde, Lucas! Esse é o Osmar?

– Boa tarde, Laura! Sim, esse é o escritor pelo qual te falei.

– Seja bem-vindo, Osmar.

A emoção me tomou novamente. Primeiro, por estar em Nosso Lar, e segundo, por ser atendido com tanto amor e carinho.

Eu me aproximei dela e abracei, carinhosamente, aquela linda senhora.

– Venham, rapazes, vocês poderão ver Marta agora.

Entramos no lindo prédio, e fomos levados a uma das enfermarias.

Laura nos levou ao leito em que Marta estava deitada.

Nos aproximamos, e eu me surpreendi com o estado em que ela se encontrava.

Estava vestida com uma roupa branca, e sua face era serena.

Estava dormindo, e sobre ela havia uma luz de cor violeta, direcionada para o seu coração.

Paramos ao lado do leito, e confesso que fiquei muito surpreso em ver como ela estava bem.

– Ela já está pronta, Laura?

– Sim, tudo está sendo preparado conforme o seu novo projeto reencarnatório.

– Perfeito! – disse Lucas.

Ficamos alguns minutos ao lado de Marta.

Eu pude ver que havia, seguramente, mais de duzentos leitos iguais àquele.

O ambiente é lindo.

A sala é bem iluminada. As paredes são brancas, com tons azulados.

As macas flutuam, e ao lado de cada uma delas, há uma pequena jarra com uma taça, em que presumi ser para que os pacientes possam beber água.

Emocionei-me mais uma vez, ao perceber o amor que todos aqueles trabalhadores têm por nós.

Após algum tempo, Lucas convida-me a sairmos dali.

– Vamos, Osmar?

– Sim, vamos. – disse.

Laura nos acompanhou até a saída, e nos despedimos após um caloroso abraço.

– Para onde vamos agora, Lucas?

– Eu quero te mostrar uma coisa.

Lucas me traz à cidade do Rio de Janeiro. Chegamos a um apartamento da zona sul.

– Venha, Osmar, sente-se aqui e escreva tudo o que vir.

– Certo.

Era um imóvel muito bem decorado. Na sala, tinham duas confortáveis poltronas, uma grande televisão, e na varanda, muitas plantas.

Nos sentamos à mesa de jantar que compunha a sala.

Não havia ninguém naquele lugar.

Após alguns minutos, uma jovem de, aproximadamente, 21 anos de idade chega ao local. Ela abre a porta principal e entra.

A Vida depois da Morte

Traz consigo algumas bolsas, as quais deposita na cozinha. Vi tratar-se de compras feitas em um supermercado.

Após arrumar toda a compra em uma despensa, a jovem senta-se na sala e começa a alisar a barriga.

Lucas permitiu com que eu ouvisse os seus pensamentos.

– Meu Deus, acho que estou grávida. Será que o Gustavo ficará feliz?

Eu pude ver uma energia de felicidade que circundava o peito da jovem, ela estava muito feliz.

Passados alguns minutos, um rapaz barbudo e jovem adentra o apartamento.

Gustavo entra, e joga um molho de chaves sobre a mesa em que estávamos Lucas e eu.

Logo, ele chama por Clara, em voz alta.

– Clara! Cheguei, meu amor.

Ela havia ido ao banheiro, e de lá saiu trazendo à mão, um teste de gravidez daqueles que se compra em farmácia.

Ela colocou as duas mãos para trás, com o intuito de fazer uma surpresa ao marido.

Aproximou-se de Gustavo e beijou-o.

– Oi, amor.

– Oi, querida, como você está?

– Eu estou bem, e tenho uma coisa para te contar.

– O quê? – perguntou Gustavo, abraçando-a.

– Eu acho que você vai ser pai.

– Sério?

– Olhe! – disse ela, mostrando-lhe o teste.

– Eu não entendo disso, Clara, o que diz aí?

– Diz que estou grávida.

Gustavo lhe beija com ternura e amor.

– Que felicidade, meu amor!

– Amanhã eu vou fazer um exame de sangue para confirmar.

– Nem precisa, Clara, você já está há alguns meses sem menstruação.

– Mas, é bom confirmar.

– Quer que eu vá com você? Eu falto ao trabalho.

– Não, amor, não precisa.

– Nossa, estou completo agora.

– Completo?

– Sim, você sabe que sempre quis ser pai.

– Eu sei, amor, desculpe-me. Você sabe que esses dias foram muito difíceis para mim.

– Eu sei, amor, a morte da sua mãe não foi fácil.

– Tenho orado muito por ela. A minha mãe não foi uma pessoa boa. Ela era muito difícil.

– Mas, agora passou, Clara.

– Sim, ela morreu, mas eu jamais vou esquecer o que ela fez comigo.

– Você tem que esquecer tudo isso, a Marina já te disse isso.

– Todo psicólogo diz isso, amor.

A **Vida** *depois da* **Morte**

– Vamos tocar em frente, esqueça o que você passou, vamos pensar agora no nosso filho.

– Eu jamais esquecerei de toda a maldade que a minha mãe fez, isso está tatuado em meu coração, mas eu a perdoei, e espero que ela esteja em um bom lugar lá no Céu. Espero, sinceramente, que todas as pessoas que sofreram na mão dela, a perdoem também.

– A oração é o melhor remédio para pessoas como a sua mãe.

– Sim, vou pedir à tia Marli que mande orar uma missa de mês para ela.

– Faz isso, amor.

– Agora, esqueça isso, arrume-se e vamos jantar fora para comemorar o nosso filho.

– Ou filha, quem sabe. – disse Clara.

– Para mim, não importa o sexo, o importante é que venha com saúde.

– Para mim também, amor.

– Vá logo tomar banho, vamos sair.

– Está bem, Gustavo.

Clara dirige-se à suíte do casal para preparar-se para sair, enquanto Gustavo senta-se à varanda do apartamento para descansar após mais um dia de trabalho.

Pude ver em seu peito uma alegria que eu acho que todos os pais sentem quando recebem uma notícia dessas.

– Venha, Osmar. – disse Lucas, levantando-se.

Fui levado, naquele instante, à Colônia Amor e Caridade.

Chegamos lá e nos sentamos em um banco nos jardins da Colônia.

– Eu acho que já entendi, Lucas.

– O que você entendeu?

– Eu acho que Marta será filha de sua filha.

– Mas, você nem me perguntou quem era Clara.

– E nem precisa, ela é a cara da Marta.

– Agora, Marta receberá uma nova oportunidade. O amor que ela não deu à Clara, irá receber da filha.

– Como Deus é perfeito!

– Sim, Ele nos dá infinitas oportunidades de ajuste.

– Quantas forem necessárias?

– Sim, quantas forem necessárias.

– E agora será que ela vai conseguir, Lucas?

– É provável que sim. Clara é um espírito muito bom. Gustavo e ela programaram esse encontro para receber a Marta, e poderem amá-la, incondicionalmente.

Nada está ao acaso, Osmar.

Agora, esperamos que o amor de uma jovem mãe e de um belo rapaz, possa definitivamente purgar tudo o que Marta fez a eles.

O amor sempre vence, Osmar.

– Eu creio muito nisso, Lucas.

– Osmar, vocês precisam crer que a vida não termina após a morte do corpo físico. Quanto mais cedo todos compreenderem isso, mais rápido evoluirá o seu planeta.

Tudo está ligado ao Criador de todas as coisas. Ele que tudo sabe e tudo vê, jamais deixaria um filho seu entregue às trevas.

Todos recebem oportunidades infinitas de evolução. Se Ele os abandonassem, Ele não estaria capacitado para ser o que é. Se Ele permitisse que vocês morressem, Ele não seria Deus.

Qual seria o sentido da criação, se ela morresse?

Por que tantas coisas perfeitas?

Tudo o que vos circunda, renasce...

Esse é o grande exemplo de que a vida não termina com uma vida, muito menos, com milhares de vidas.

As experiências no corpo são necessárias ao aperfeiçoamento do espírito. É como uma profissão, se você não estudá-la e não praticá-la, você nunca irá aprender de verdade.

É simples... Vocês é que complicam.

– É verdade, Lucas.

– Entretanto, estamos aqui para orientá-los e ajudá-los a compreender a vida depois da morte.

– Obrigado por tudo, Lucas.

– Não agradeça.

– Já sei... escreva, Osmar.

– Faça a sua parte, que estamos fazendo a nossa.

– Gratidão, Lucas.

Nos despedimos após ele me deixar em casa.

Quanto aprendizado... meu Deus!

> "
> *Se Ele nos matasse, Ele não seria Deus!*
> "
>
> *Osmar Barbosa*

Reencarnação

Passadas algumas horas do mesmo dia, Lucas me procura.

– Osmar?

– Oi, Lucas.

– Vamos escrever mais um trecho do livro?

– Sim, claro. Estou a sua inteira disposição.

– Você não está cansado?

– Sim, bastante, mas acho que dá para escrever mais um pouco.

Aproveitando, Lucas, por que é que ficamos tão cansados após o desdobramento? E se você puder explicar a mim e aos meus leitores o que é mediunidade de desdobramento, eu lhe seria muito grato.

– É com enorme prazer que posso passar algumas informações sobre essa virtude mediúnica, Osmar.

– É uma virtude?

– Todo o trabalho mediúnico no qual há humildade e amor ao que se faz é uma virtude.

– Obrigado, Lucas.

– Vamos falar um pouco sobre a sua mediunidade, pode ser?

– Claro que sim, Lucas.

– Todos vocês encarnados são médiuns, Deus vos deu a mediunidade para que possais manter o intercâmbio com os planos espirituais.

Esse intercâmbio sempre ocorre por meio da mediunidade, que pode ser de psicofonia (incorporação), claricividência, audiência, psicografia, vidência e desdobramento, esses são os tipos que você possui. Existem outras, mas vou me ater a falar de sua mediunidade.

– Certo, Lucas.

– Você também tem a capacidade de se ausentar do corpo físico. Seja consciente ou inconscientemente. Esse tipo de mediunidade é conhecido por desdobramento, projeção astral, viagem astral, experiência fora do corpo.

Aliás, essa foi a primeira a que você experimentou quando passou pela experiência de quase-morte, quando estava intubado no leito de uma UTI e foi ao encontro da sua mãe.

– Eu não sabia disso.

– Mas, foi através dessa mediunidade, que você possui desde que chegou ao plano terreno, que você se reencontrou com a sua mãe.

É muito comum que outros médiuns escrevam obras espíritas ou não, exercendo o desdobramento.

A propósito, há um número considerável de artistas, autores, escritores, músicos, atletas, compositores, descobridores e pintores, que fazem ou descobrem algo, sob efeito ou transe do desdobramento.

Na verdade, vocês vivem mais desdobrados do que seguros no corpo físico, como irei relatar.

Muitas vezes, em sessões mediúnicas ou cirurgias espirituais, nós forçamos o desdobramento consciente no médium e na equipe do trabalho mediúnico, para que as tarefas sejam realizadas harmonicamente.

O desdobramento é um estado de emancipação da alma, no qual sempre há algo a mais do que em um sonho comum.

Allan Kardec já vos informou acerca dessa qualidade ou virtude mediúnica. Ele disse:

"Embora, durante a vida, o Espírito seja fixado ao corpo pelo perispírito, não é tão escravo, que não possa alongar sua corrente e se transportar ao longe, seja sobre a Terra, seja sobre qualquer outro ponto do espaço".

– Posso colocar em que livro está isso, Lucas?

– Sim, claro.

– Isso está na *Gênese, Cap. XIV, I. 23*.

É bom colocar, Lucas, para que os nossos leitores possam consultar caso precisem.

– Sem problema, Osmar.

– O nosso amado irmão André Luiz, em uma das obras ditadas por ele ao médium Francisco Cândido Xavier, explica que:

"Raros espíritos encarnados conseguem absoluto domínio de si próprios, em romagens de serviço edificante fora do carro de matéria densa."

– Há, ainda, médiuns como você, que conseguem realizar o desdobramento voluntariamente.

– Sim, eu consigo visitar lares, ambientes e ver as coisas por lá.

– Isso se dá pelos anos que você trabalha desdobrado, fazendo isso com frequência, qualquer médium de desdobramento pode alcançar o que você já alcançou. Basta treinamento, disciplina e humildade.

Além disso, todas as noites vocês saem de seus corpos físicos por meio do sono. Todas as noites vocês vão ao encontro de suas afinidades, que encontram-se na vida espiritual. Todavia, sem que vocês se lembrem do que fizeram durante a noite de sono, enquanto o corpo físico está descansando.

Diante do exposto acima, ao aprender a realizar o desdobramento consciente, o médium é de grande valia para o trabalho mediúnico, uma vez que poderá relatar com clareza e precisão o que se passa no plano espiritual.

Poderá, também, ir até determinados locais, sempre acompanhado dos seus benfeitores espirituais, no auxílio de resgate aos espíritos sofredores.

Quando vocês estão encarnados, são uma usina energética de fluidos que favorecem certos tipos de trabalho na espiritualidade. Se se dedicassem ao desenvolvimento mediúnico e colocassem humildade e amor no que fazem, seriam verdadeiras bombas atômicas energéticas.

Mas, infelizmente, muitos médiuns estão preocupados mesmo é em ostentar suas mediunidades, exibindo-se erroneamente, enganando pessoas, ridicularizando a doutrina dos espíritos.

– Infelizmente, isso é muito comum por aqui, Lucas.

– Outro fator impeditivo, Osmar, é o medo. Se você deseja ser útil à espiritualidade, deve vencer o medo.

Para conseguir a plena consciência durante o desdobramento são necessários muito treinamento e disciplina, encontrar um tempo para a prática diária, e buscar enriquecer-se de vasta literatura já disponível sobre o assunto.

– Você poderia dar uma dica de como as pessoas podem começar a praticar o desdobramento?

– Primeiro, reconhecer-se como espírito eterno que és, e depois, ser humilde de coração. Confiar em seu mentor espiritual, pois é ele quem vai te conduzir, assim como conduzimos você.

– Obrigado, Lucas.

– Osmar, sobre o cansaço após o desdobramento, ele é muito simples de entender.

Lembra que eu falei que vocês são uma potente usina energética?

– Sim.

– Pois bem, para você estar aqui ao meu lado agora, você está utilizando essa usina, com o passar das horas ela começa a se desgastar e precisa de uma pausa para voltar a produzir e trabalhar intensamente.

A Vida depois da Morte

– Entendi, Lucas. Obrigado!

– De nada. Agora, vamos ao trabalho?

– Sim, aonde vamos?

– Vamos visitar o Carlos Alberto.

– Vamos.

Chegamos, rapidamente, a um pequeno vilarejo cercado por densa mata nativa.

O lugar era muito bonito.

Havia, no máximo, umas oitenta casas naquele lindo e encantador lugar.

Não havia rua, e o que eu vi pela nossa frente, era um extenso gramado que separava as residências. Umas tinham uma cerca feita de madeira, todas pintadas de branco, essas cercas eram bem baixinhas, e acredito serem assim para dar ainda mais beleza ao local.

Paramos em frente a uma linda casa linear, onde havia um lindo ipê-amarelo.

– É aqui. – disse Lucas.

– Que lugar lindo, Lucas.

– Eu gosto de vir aqui.

– Quem não gostaria.

– É aqui que vamos nos encontrar com Carlos Alberto Filho. – disse Lucas.

– Qual o nome deste lugar?

– Vila Amorosa.

– Meu Deus, que lindo! E onde fica?

– Onde fica?

– Sim, em que Colônia?

– Ah, sim, na Colônia Vale Feliz.

– Meu Deus, que lindo lugar!

– Venha, vamos entrar.

– Ele já saiu do hospital, Lucas?

– Sim, e está nos esperando.

Entramos pelo lindo caminho que leva à varanda da casa. Jardins floridos criam uma pequena trilha, que leva à porta principal da casa.

Ao nos aproximarmos, o Sr. Carlos Alberto abre a porta e grita para todos os que estão lá dentro:

– Eles chegaram!

Lucas sorriu de alegria por estar ali.

Eu estava maravilhado com tanta beleza em um só lugar.

– Venham Lucas e Osmar, entrem! – disse ele, abrindo a porta.

Na sala, eu pude ver uma senhora e duas jovens sentadas.

– Como vai, meu amigo? – disse Lucas, cumprimentando o Sr. Carlos.

– Estou muito bem, agora, muito feliz.

– Que bom. – disse Lucas.

– Como vai, Osmar?

– Estou muito impressionado com a beleza deste lugar. Que bela casa o senhor tem!

– Merecimento, Osmar. Merecimento!

*A **Vida** depois da **Morte***

– Vejo que o senhor está muito feliz.

– Sim, o Carlinhos saiu do hospital. Mas, entre, vamos conversar.

Entramos, e todos nos cumprimentaram com um abraço. Carlos já estava totalmente refeito de seu desencarne. Ele estava feliz.

– Vamos nos sentar. – disse o senhor Carlos.

Nos sentamos à uma mesa com vários lugares, mais de oito.

– Essa é a minha filha Janete, essa aqui é a minha mãe Margarida, e essa, a minha sobrinha Rosa.

Esse você já conhece, é o meu filho Carlinhos. Chamamos ele assim, carinhosamente, desde menino.

– Sentem-se! – insiste dona Margarida. Eu vou pegar uma jarra com água fresca. – diz ela, dirigindo-se à cozinha.

Carlos estava totalmente recuperado, e apresentava um "ar" incomum de felicidade. – E então, Carlos, como foi reencontrar o seu pai e os seus familiares?

– A morte é muito boa, Sr. Lucas. Seria perfeita, se os meus filhos e a minha esposa estivessem aqui também, mas sei que essa separação é temporária e que, em breve, muito em breve, eu poderei estar ao lado deles novamente.

– É que ele já programou a sua reencarnação, Osmar. – disse o Sr. Carlos.

– Sério?

– Sim, voltarei muito em breve para o convívio familiar.

O meu filho caçula será pai, e eu vou reencarnar como filho dele.

– Que legal!

– Sabe, Sr. Osmar, o fato de eu ter cortado as cestas básicas e ter cancelado o acesso à farmácia e ao armazém, dos funcionários que o papai deixou, não foram significantes para o meu desencarne. Essas coisas não são significantes aqui.

O que mais dói em meu coração, é que eu não tive humildade e amor suficientes para entender que, dividir a minha riqueza e tudo o que eles me ajudaram a conquistar, seria o mais justo.

– Às vezes, precisamos passar pelo que você está passando agora, para modificar os nossos sentidos caritativos. – disse Lucas.

– Sem sombra de dúvida. Eu deveria ter ouvido a voz do meu coração.

– É no coração que Deus conversa conosco, filho. – disse o velho pai.

– Foi oferecida a mim, uma nova oportunidade, e eu prometi a mim mesmo, que vou abraçá-la com todas as minhas forças.

Herdarei a empresa do meu pai, e farei muita caridade, podes ter certeza.

– Que bom que todos estão felizes. – disse.

– Estamos muito felizes e ansiosos para que o meu filho volte e reconstrua a sua evolução.

A Vida depois da Morte

– A vida não se resume a uma vida, Sr. Osmar. – disse Rosa.

– Eu conheço essa frase, Rosa.

– A Nina me disse ela uma vez, quando passei por Amor e Caridade, foi quando cheguei para ficar definitivamente na vida espiritual. Trabalhei alguns dias ao lado da iluminada Nina, mais precisamente, com as crianças de Amor e Caridade.

– Você conhece a Nina?

– Sim, sempre que posso vou à escola para ajudar com as crianças.

– Meu Deus!

A emoção tomou conta de mim, mais uma vez.

Dona Margarida chega à sala trazendo um jarro com água. Todos bebem, menos eu.

– Eu te desejo uma linda encarnação. – disse Lucas para Carlinhos.

– Tenho a certeza de que vou aproveitá-la da melhor maneira possível. Não será uma encarnação fácil, mas eu vou vencer.

– Vencerá sim, meu amado filho, porque nós estaremos em oração para que você se liberte, definitivamente, das encarnações, e venha viver conosco aqui nesse lugar que chamamos, carinhosamente, de paraíso.

Os meus olhos mareados foram logo notados por todos.

– Venha, Osmar, nós queremos te mostrar uma coisa. – disse o Sr. Carlos, levantando-se.

Nos levantamos também, e nos dirigimos à varanda da casa.

Havia, pelo menos, umas vinte pessoas nos esperando.

Eram jovens, idosos, rapazes, moças, todos sorrindo para nós.

Saímos todos da casa. Eu vi quando o Sr. Carlos, o Carlos Alberto, a Dona Margarida, a Rosa e a Janete se juntaram e colocaram os braços sobre os ombros uns dos outros, formando uma grande corrente de amor.

Todos aqueles que estavam nos esperando, aplaudiram a família.

Logo após os aplausos, eles começaram a se abraçar festejando aquele lindo encontro.

Lucas me puxa pelo braço e diz:

– Venha, Osmar, chegou a hora de partirmos.

– Sem nos despedirmos, Lucas?

– Não há despedidas na vida eterna, o que há é um "até breve"!

O meu coração encheu-se de alegria ao ver aquelas pessoas se abraçando, se beijando, e comemorando a chegada de Carlos Alberto.

Caminhamos em direção ao extenso gramado.

Após estarmos distantes do local, eu puxei conversa com Lucas, que caminhava sereno.

– Que lindo aquele encontro, Lucas.

– São alguns dos amigos que estão na jornada evolutiva do Carlos Alberto. Sabe, Osmar, as encarnações são tão

A **Vida** *depois da* **Morte**

perfeitas, que passamos por elas juntando espíritos aos quais aprendemos a amar, e jamais nos desligarmos deles.

Aquele pequeno grupo que você viu festejar a chegada de Carlos Alberto, é de espíritos que estão ao lado dele por muitas vidas.

Quando você chega aqui, todas as suas vidas são lembradas, e certamente, em cada uma delas, você fez amigos inesquecíveis, pais que cuidaram de você, irmãos, verdadeiras paixões, esposas amigas e companheiras de muitas vidas, isso sem contar os filhos, os quais jamais deixamos de amar.

– Olha, Lucas, eu nem sei o que dizer.

– Diga-me o que sente.

– Sinto-me amado por vocês.

– Nós te amamos de verdade, Osmar.

Não me contive e comecei a chorar.

Ele pôs o seu braço sobre o meu ombro, e continuamos assim até que cheguei a minha casa, perdido em lágrimas de amor por ter essa oportunidade.

Obrigado, Lucas! Obrigado, Deus...

> "
> O amor é o único sentimento que levamos para
> a vida eterna.
> "
>
> *Nina Brestonini*

João Pedro

No dia seguinte, Lucas procurou-me novamente.

– Bom dia, Osmar!

– Bom dia, Lucas.

– Como você está?

– Estou bem, após chorar por horas.

– Por que choraste?

– Você me emocionou muito quando nos encontramos da última vez. Na verdade, é muito emocionante ver como se processa a vida depois da morte.

– Quando chegar aqui, a primeira grande surpresa que você terá é a de saber que há centenas de espíritos que estão ligados a você por outras vidas, e que te amam profundamente. Na verdade, isso acontece com todos os espíritos que desencarnam. Até aquele que você considera ser o pior espírito encarnado, quando chega aqui, se vê diante de uma realidade inimaginável.

– Que realidade é essa, Lucas?

– O amor.

– Você não quer que eu comece este capítulo chorando, não é?

– Chorar é bom, Osmar, te aproxima do amor.

– É verdade.

– Bem, agora vamos terminar esta obra.

– O que tenho que ver e escrever?

– Acredito ser a parte mais emocionante da sua vida.

– Meu Deus, não começa, Lucas.

– Venha! Venha comigo. Fique tranquilo, pois estou ao seu lado.

– Meu Deus, o que me espera?

Rapidamente, Lucas leva-me a um lugar muito bonito. Chegamos a uma praia após volitarmos por densa mata. Parecia que estávamos em uma ilha.

Logo que chegamos, Lucas orientou-me a caminhar lentamente pela areia branca de uma praia linda.

Assim, fomos caminhando lentamente, um ao lado do outro, por uma linda praia.

As ondas não eram muito grandes. O Sol alaranjado estava quase se pondo, o que fazia daquele lugar ser ainda mais lindo.

A areia era muito branca, e havia conchinhas espalhadas por todo o lugar.

Eu sou um amante de praia. Encantei-me rapidamente.

– Osmar, vá na frente, que eu te encontro daqui a pouco. – disse Lucas, ficando para trás.

– Mas, para onde devo ir?

– Caminhe pela praia, confie em mim.

– Está bem, mas não se atrase. – brinquei com ele.

Havia coqueiros enormes e algumas árvores que faziam sombra por onde eu caminhava.

Olhei para frente, e bem longe vi que havia alguém me esperando.

Fiquei curioso para saber quem era.

Acelerei um pouco os passos para chegar o mais rápido possível àquela figura que estava brincando à beira da praia.

Logo vi tratar-se de um menino.

– Será que é o João Pedro? – pensei.

Eu fazia essa pergunta a mim mesmo, enquanto me aproximava do menino.

Ao perceber que eu me aproximava, ele veio correndo em minha direção.

Eu diminuí as passadas para esperá-lo chegar.

Sorrindo e feliz, João Pedro aproximou-se de mim.

– Oi.

– Oi.

– Você que é o Osmar?

– Sim, sou eu.

Pausa para as lágrimas, pessoal...

Após meia hora, voltei ao lugar.

Voltei.

– Você demorou.

– Eu não sabia que tinha que me encontrar com você.

– Cadê o tio Lucas?

– Ele ficou para trás, logo vai chegar.

A **Vida** *depois da* **Morte**

– Vem, você tem que se encontrar com o meu amigo.

– Vamos, mas onde ele está?

– Na cabana.

– Certo, vamos até lá.

João não caminhava, ele saltitava na areia da praia. Logo, pegou um graveto e ia a minha frente brincando com as conchinhas existentes ali.

Quando dei por mim, ele já estava bem distante.

– Vem, tio!

– Estou indo.

Crianças...

Finalmente, chegamos em frente a uma enorme cabana feita de madeira e coberta com folhas de coqueiro ou palmeiras, não sei bem o que era aquilo.

– Vem, tio.

– Estou indo.

Entramos em uma grande barraca que existe na frente da linda casa.

A barraca ficava muito próxima à água do mar.

Andamos por um caminho feito de tábuas muito bem-posicionadas, dando a nós um conforto ao caminhar.

– Vem, tio! – gritava João, a minha frente.

Por fim, cheguei a uma bela casa de praia. Toda feita de madeira e coberta por sapê. A casa é bem grande, pode-se ver logo ao chegar nela.

Na varanda, estava sentada uma mulher de, aproximadamente, 40 anos, loira, de olhos claros e muito sorridente.

Logo que me aproximei, ela sorriu e disse:

– Oi, Osmar, quanto tempo!

Sem entender muito bem o que estava acontecendo, respondi com um singelo "oi".

– Você não se lembra de mim?

– Não, não me lembro, eu te conheço?

– Você era muito pequeno, não deve lembrar mesmo. Mas, isso não importa.

– Você acompanhou o desencarne de João Pedro?

– Sim. Foi uma das coisas mais lindas que já vi em minha vida.

– Ele voltou para nós.

– Cadê aquela senhora de dourado que foi buscá-lo?

– É ela quem preside esta Colônia.

– Qual é o nome dessa Colônia?

– Colônia Raios do Amanhecer.

– Eu nunca estive aqui.

– Para tudo tem uma primeira vez.

– Qual é o seu nome?

– Isadora.

– Muito prazer! Eu posso me sentar?

– Sim, vamos nos sentar ali. – disse ela, apontando para um banco embaixo de um grande coqueiro. Um lugar especial.

– Essa Colônia é para crianças?

– Sim, todas as outras unidades que também recebem crianças foram inspiradas na nossa Colônia.

A Vida *depois da* Morte

– Eu gostei muito da praia.

– Nós também gostamos.

Lucas finalmente aproximou-se de nós.

– Olha se não é o Lucas. – disse Isadora.

– Olá, minha amiga, como vocês estão?

– Estamos muito bem.

– Olá, Osmar.

– Oi, Lucas.

– Sente-se Lucas, nós ainda não começamos a conversar.

– Então, vamos logo ao nosso propósito.

– Sim. – disse ela.

– Deixe-me te dizer uma coisa, Osmar. – disse Isadora.

– Sou todo ouvidos.

– O desencarne do João estava programado para acontecer durante a pandemia pela qual vocês enfrentam agora no plano terreno.

O João saiu daqui com uma nobre missão. Ele precisava estar ao lado de sua mãe para encorajá-la a ter um segundo filho.

Sandra, a mãe de João Pedro, recusou-se a ter filhos durante algumas encarnações, e ela precisava ser mãe para receber Ana Luiza. Elas tinham e ainda tem alguns ajustes a serem feitos.

São espíritos que estão depurando coisas do passado.

O espírito de João, então, se voluntariou para ser o primeiro filho, e dar à Sandra a felicidade de ser mãe. Ela precisava viver a expectativa da gravidez e ter em seus braços algo que pertencia, exclusivamente, a ela.

Tudo aconteceu como combinado. Assim, após ter cumprido o seu papel, ele retornou ao nosso convívio.

– Quer dizer que algumas perdas são, simplesmente, por que o tempo encarnado já acabou?

– Sim, muitos espíritos estão se voluntariando para auxiliar àqueles aos quais eles amam profundamente. O objetivo é ajudar quem amamos, auxiliando a vencerem suas imperfeições e ascenderem logo à vida eterna.

Há infinitas possibilidades de ajuda quando finalmente chegamos à vida eterna.

– Entendi, quer dizer que se eu amo muito alguém que ainda está em provas na Terra, eu posso nascer como filho dela para lhe ensinar, por exemplo, a amar.

– Exatamente.

– Foi esse o caso do João. – disse Lucas.

– A Sandra irá refazer-se da perda, e logo voltará a vida normal. – disse Lucas. Ela terá outro filho e será muito feliz ao lado do seu marido e das crianças.

– Lição dada, lição aprendida.

– Isso.

– Mas, cadê o João?

– João! – gritou Isadora.

– Quê? – disse João, em algum lugar.

– Pode trazer a surpresa. – gritou Isadora.

A **Vida** *depois da* **Morte**

Surpresa? Como assim? – pensei.

– Nós já vamos. – gritou um outro menino.

Lucas me olha sereno, enquanto um grupo de pássaros resolve revoar sobre nós.

Eu distraí-me olhando para a beleza daqueles pequenos seres.

Foi quando João Pedro aproximou-se de mim trazendo consigo um menino do mesmo tamanho que ele, acredito que da mesma idade também.

Olhei para aquele menino e comecei imediatamente a chorar.

Era o meu amigo de infância. O Fernando, que morreu ainda menino de uma doença muito rara.

Imediatamente, Isadora levantou-se e veio sentar ao meu lado, me abraçando.

Fernando correu para os meus braços abertos.

Eu soluçava lágrimas de saudade do meu amiguinho de infância.

Lucas olhava para nós estampando um leve sorriso em seu rosto.

– Fernando, que saudade! – eu dizia chorando.

Ele começou a chorar, e me disse:

– Eu também estava com muita saudade de você, Osmar.

Ficamos por alguns minutos, abraçados e calados, sentindo o pulsar de nossos corações entrelaçando nossas almas.

Olhei para Isadora e lembrei-me imediatamente dela.

– Agora eu me lembro de você.

– Eu sou a mãe que desejou muito morrer quando Fernando me deixou. Foram tempos muito difíceis para mim.

Hoje vivo ao lado dele, que já está um rapaz. Ele moldou essa forma só para te encontrar. Se não fosse assim, você não o reconheceria.

Chorei ainda mais olhando para Fernando, que era meu melhor amigo quando eu tinha uns 10 anos.

Meu Deus, obrigado!

– Que bom, Isadora, que você está aqui ao lado dele e feliz.

– Estamos aqui há bastante tempo, foi quando Lucas me falou sobre você e eu pedi esse encontro a ele. Aliás, o Fernando pediu ao Lucas.

Olhei emocionado para Lucas.

– Lembre-se, Osmar, por amor fazemos muita coisa.

– Osmar, vamos brincar na praia. – disse Fernando. Eu tenho muita coisa para te contar.

Me pus de pé, peguei a frágil mãozinha do meu amigo, e caminhei com ele até a praia.

João foi conosco e ficamos ali por horas a fio, brincando novamente como crianças, pois nunca deixaremos de ser.

A noite chegou, e Lucas me acompanhou até o meu escritório.

Ao chegarmos, ele sentou-se ao meu lado, e disse:

– Osmar, o amor é muito maior do que esse amor que vocês estão acostumados a sentir. O amor espiritual é a fortaleza da alma.

Todos precisam compreender que Ele nos ama profundamente, e que toda vez que um filho dele chora, Ele chora também.

A vida é eterna e temos toda a eternidade para aprender o que é esse amor.

Um dia, todos vocês irão compreender que são parte da Criação, e que o mais importante para nós é que vocês aprendam a amar.

As separações são temporárias e necessárias.

Mas, um dia, todos se reencontrarão para juntos traçarem novos destinos.

– Gratidão, Lucas.

– Escreva, meu amigo, e acalante os corações, porque todos precisam saber que existe A VIDA DEPOIS DA MORTE.

Ele sorriu e me deixou aquela noite...

Gratidão, Lucas!

Fim

> "
>
> Dedico este livro a minha família, e a família de todos aqueles que perderam alguém em algum momento da vida.
>
> "

Osmar Barbosa

Outros títulos lançados por Osmar Barbosa

Conheça outros livros psicografados por Osmar Barbosa. Procure nas melhores livrarias do ramo ou pelos sites de vendas na internet.

Acesse
www.bookespirita.com.br

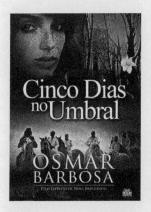

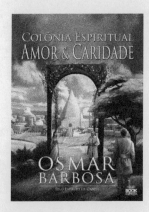

  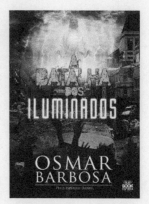
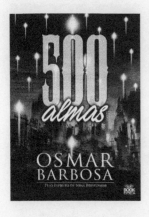  

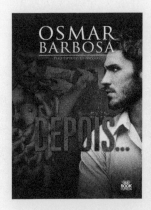  
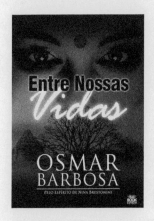 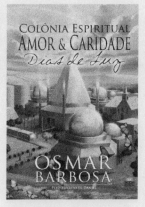 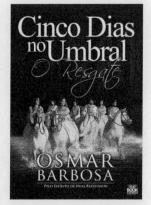
  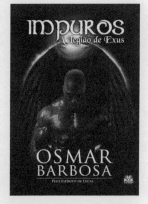

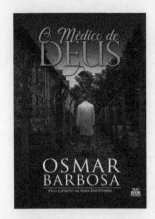 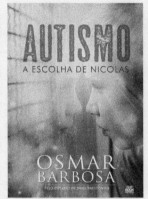 
 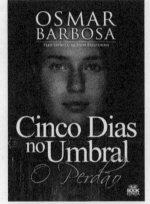 
  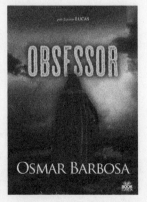

Esta obra foi composta na fonte Century751 No2 BT, corpo 13.
Rio de Janeiro, Brasil.

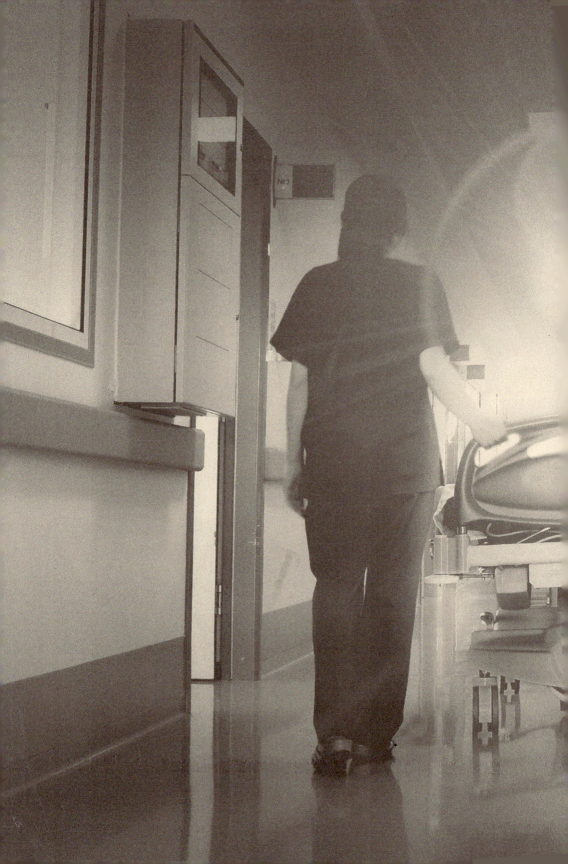